Curso de Español Lengua Extranjera

META ELE

1

Libro del profesor

A1 ⟼ B1

edelsa
GRUPO DIDASCALIA, S.A.

Miguel Ángel García Guerra
José Ramón Rodríguez Martín

edelsa
GRUPO DIDASCALIA, S.A.
Plaza Ciudad de Salta, 3 - 28043 MADRID - (ESPAÑA)
TEL.: (34) 914.165.511 - (34) 915.106.710
FAX: (34) 914.165.411
e-mail: edelsa@edelsa.es - www.edelsa.es

Primera edición: 2012
Impreso en España/*Printed in Spain*

© **Edelsa Grupo Didascalia S. A.**, Madrid 2012
Autores: Miguel Ángel García Guerra y José Ramón Rodríguez Martín

Dirección y coordinación editorial: Departamento de Edición de Edelsa
Diseño de cubierta: Departamento de Imagen de Edelsa
Diseño de interior y maquetación: RaízCuadrada

Imprenta: Egedsa
ISBN: 978-84-7711-977-7
Depósito legal: M-30016-2012

Prólogo

Meta ELE es un manual de supervivencia en español diseñado para que tus estudiantes sean capaces de comunicarse en poco tiempo ya que van a desenvolverse en un entorno (personal o laboral) hispanohablante o que van a pasar un examen oficial. Se ha confeccionado en dos formatos para adecuarse mejor a las necesidades de tus estudiantes y de tus cursos:

- *Meta ELE* en tres niveles (A1, A2 y B1) se dirige a cursos intensivos y rápidos, de pocas horas de duración en cada uno, y que están destinados a aquellos estudiantes que necesitan un español utilitario.

- *Meta ELE final* consigue en un único volumen y curso que tus estudiantes alcancen un nivel de dominio B1.

Por tanto, siguiendo un enfoque orientado a la acción, te proponemos un aprendizaje significativo y así, por medio de la resolución de tareas, capacitarle para sobrevivir en las situaciones cotidianas en las que se puede encontrar cuando esté en un contexto de inmersión.

Cada módulo de los que se componen los libros se concibe como un camino, como un proceso, en cuatro pasos, que culmina, cada uno de ellos, con una actividad significativa. En los tres primeros pasos, esa actividad significativa puede ser bien de simulación, bien de transmisión de información, bien de resolución de problemas. El paso 4 es un repaso y una invitación a la acción final.

Esta guía didáctica es una herramienta útil tanto para un tipo de curso como para otro, ya que da respuesta a las necesidades de clase tanto si trabajas con *Meta ELE A1, A2 o B1*, como si lo haces con *Meta ELE final*. En ella encontrarás sugerencias de explotación para todas las actividades propuestas, las transcripciones de los audios, las soluciones a las actividades y ejercicios de respuesta única y las referencias correspondientes al cuaderno de ejercicios así como una propuesta de trabajo complementario de usos de las redes sociales y de los soportes 2.0.

En www.edelsa.es > Sala de profesores y Zona estudiante encontrarás además recursos y más sugerencias.

Esperamos que el trabajo con este material te sea grato y estimulante.

Los autores

Índice

ADVERTENCIA

La mano indica que en el libro digitalizado hay un documento extra.
Manual de uso del libro digitalizado: contiene explotación de los documentos extra. Libro digitalizado:
ISBN: 978-84-7711-998-2

Módulo 0

El objetivo del módulo 0 es que tus estudiantes tengan un primer contacto con el español, con su sonido y con algunas características de su expresión escrita. Dentro de ese primer contacto, se pretende que tus estudiantes sean capaces de presentarse, saludar y despedirse, según los momentos del día.

Bienvenido al español, objetivos

- Que tus estudiantes y tú, profesor o profesora, os conozcáis.
- Que se establezca el primer contacto con el español.
- Que tus estudiantes se familiaricen con el sonido del español.
- Que sean capaces de preguntar y decir el nombre.
- Que sean capaces de saludar y despedirse según el momento del día.
- Que tengan un primer contacto con la cultura del español.

Cuando tus estudiantes lleguen a clase, tendrán proyectada la página 10 (la 6 si trabajas con *Meta ELE A1*) del libro, en la que se les da la bienvenida al curso del español. Salúdales y preséntate siguiendo el modelo del texto del bocadillo con las modificaciones correspondientes, por ejemplo: *¡Hola! ¿Qué tal? Me llamo José Ramón, soy profesor de español. ¡Bienvenidos al curso!* A continuación, dirígete a uno de tus estudiantes y pregúntale: *Y tú, ¿cómo te llamas?* para que diga su nombre. Después, invítale a que le formule la misma pregunta a otro compañero para que así todos vayan diciendo su nombre.

Es importante crear un buen clima de clase desde el principio para lo que es recomendable que te dirijas a tus estudiantes por su nombre en todo momento. Busca alguna forma de recordar sus nombres: pídeles que cada uno escriba su nombre en un papel y lo tenga en un lugar visible de la mesa; pídeles que escriban solo la inicial de su nombre, para hacerlo más lúdico, y de ese modo te exigirá un esfuerzo mayor y recordarás los nombres más rápidamente; o, simplemente, anota el nombre de cada uno en un esquema que represente el lugar donde está sentado cada uno.

Utiliza el cuadro de **Saludos y despedidas** junto al esquema de los momentos del día. Señala el reloj de clase para que tus estudiantes elijan el saludo correspondiente: *¡buenos días!, ¡buenas tardes!...* Utiliza la pizarra para indicarles qué expresiones se usan para saludar, cuáles para despedirse y cuáles en ambos casos. Para ello, puedes escribir en la pizarra el horario de la clase o del curso (por ejemplo, 9:00-10:30) y asociar las expresiones correspondientes a la hora de inicio y a la de final.

Fíjate que, para diferenciar los momentos del día en los que se utiliza una forma de saludo o despedida, no solo nos basamos en el tiempo cronológico sino también en las actividades que, en la cultura hispánica, lo determinan: la hora del desayuno (el café), la hora de la comida (la paella) y cuando deja de haber luz (la Luna). Hazles ver eso a tus estudiantes para que no identifiquen, como ocurre en otros idiomas y en otras culturas, un saludo o una despedida con una hora exacta.

Intrusos en la clase de español, objetivos

- Que tus estudiantes se familiaricen con los sonidos del español.
- Que tus estudiantes sean capaces de asociar los sonidos con las letras y grupos de letras (dígrafos).
- Que tus estudiantes conozcan el vocabulario de los objetos y las personas de la clase.

a. y b. Pide a tus estudiantes que vayan a la página 11 (la 7 si trabajas con *Meta ELE A1*) del libro y que escuchen y repitan las palabras que oyen y que identifiquen, con la ayuda de los números, los objetos y personas de la clase a las que se refieren. Puedes parar la audición cuando consideres que debes explicar algún sonido o alguna letra o dígrafo con mayor detenimiento (casos de la ce, la ce y la hache, la ge, la hache, la doble ele, la eñe, la cu o la erre, por ejemplo).

c. En un segundo momento, pide que identifiquen en la imagen los siete intrusos que hay. De este modo, estás haciendo que tus estudiantes resuelvan un juego en español al tiempo que se familiarizan con los sonidos y las letras de la nueva lengua.

d. Llama la atención de tus estudiantes al breve diálogo y, después, si quieres o si lo consideras necesario, reprodúcelo en la pizarra utilizando el nombre y los apellidos de alguno de tus estudiantes. Una idea es que tú simules el mismo diálogo con un voluntario. Esto servirá de modelo para todos.

Soluciones: el florero (7), la guitarra (9), el pingüino (10), la hamaca (11), el kiwi (14), el queso (22) y el yogur (31).

e. Lee el enunciado de la actividad y pide que cada estudiante pregunte el nombre y el apellido de dos o tres compañeros y que les pidan que lo deletreen para estar seguros de que lo han escrito correctamente. Si tienes posibilidad de que tus estudiantes se conecten a Internet, pídeles que comprueben que han escrito correctamente el nombre buscándolos en Facebook.

La música y la letra del español, objetivos

- Que tus estudiantes conozcan la pronunciación de las palabras en español.
- Que tengan un primer contacto con la acentuación.
- Que aprendan los signos de interrogación y de exclamación propios del español.
- Que identifiquen los tres tipos básicos de entonación de las oraciones: enunciativo, interrogativo y exclamativo.
- Que conozcan las instrucciones básicas que se utilizan en el desarrollo de la clase.

1a. Explica (siguiendo los pasos que se indican en 1, 2 y 3) las reglas del acento. Usa más ejemplos del vocabulario de la clase, si lo consideras necesario.

1b. Propón a tus estudiantes que realicen esta actividad en parejas para que se sientan más seguros a la hora de aplicar las reglas vistas anteriormente, reflexionando junto a un compañero. Pide a tus estudiantes que marquen la sílaba fuerte según su terminación. Después, pon el audio para que comprueben su respuesta y para que, si no siguen la regla, escriban la tilde en el lugar apropiado.

Soluciones: H<u>o</u>la – est<u>**á**</u> – ust<u>ed</u> – bol<u>í</u>grafo – l<u>ue</u>go – ma<u>ñ</u>ana – a<u>dió</u>s – <u>n</u>oches – tur<u>í</u>stica – espa<u>ñ</u>ol – bienve<u>ni</u>do – <u>lá</u>piz – rotula<u>dor.</u>

2. Explica a tus estudiantes que van a aprender las instrucciones que escucharán o verán escritas con frecuencia en la clase de español. Y que, al mismo tiempo, vamos a seguir trabajando con la pronunciación. Para empezar, explica el significado de cada una de las instrucciones con gestos o con dibujos en la pizarra. Una vez que esté claro el significado de todas las palabras, indícales que deben levantar el brazo al oír la sílaba fuerte. Como alternativa, puedes darles tres tarjetas, cada una con un número (1, 2, 3 o 4) que representan las sílabas de las palabras. Una vez que han escuchado la palabra, levantan la tarjeta con el número de la sílaba fuerte. Recuerda que, en el tema de la acentuación, siempre se cuenta desde el final (la última sílaba) hacia el principio.

3. Para cerrar este módulo introductorio, lee las tres oraciones marcando la entonación de cada una, haciendo hincapié, además, en los signos de interrogación y exclamación de apertura y cierre, sobre todo en el primero, que en otros idiomas no existe. Explícales que en español siempre se escribe una ¿ al empezar una pregunta o una ¡ al empezar una exclamación. Amplía con más ejemplos si lo consideras necesario y pide a tus estudiantes que repitan, después de ti, cada frase, marcando bien la entonación de cada una. Tras la práctica de comprensión e identificación auditiva, pasamos a la representación escrita de la entonación, pidiéndoles que escriban los signos necesarios en las frases propuestas.

Soluciones: ¿Puedes repetir, por favor?; ¡Bienvenidos al español!; ¿Cómo se dice en español?; Me llamo María.; ¿Cómo se escribe *bolígrafo*?; ¡Hola!; No entiendo.; Más despacio, por favor.; ¡Adiós!

Primeros contactos con el mundo hispano

OBJETIVOS GENERALES

- Que tus estudiantes sean capaces de saludar, despedirse y presentarse en el ámbito personal, en el público y en el profesional.
- Que tus estudiantes sean capaces de pedir y dar información personal: nombre, apellido(s), edad, nacionalidad, profesión y lugar de trabajo, día de cumpleaños, número de teléfono, dirección de correo electrónico e idiomas que hablan.

El recorrido hacia la meta (acción):

Paso 1	Paso 2	Paso 3	Paso 4
▶ Aprende a presentarte	▶ Conoce las profesiones y los lugares de trabajo	▶ Aprende los números	▶ Repasa los contenidos de los pasos 1, 2 y 3
▶ Descubre las nacionalidades	▶ Aprende los verbos y las actividades	▶ Aprende a hablar de la edad y el cumpleaños	**Acción**
▶ Habla de los idiomas	▶ Informa: Tu ocupación	▶ Soluciona Teléfonos de urgencia	▶ Haz tu agenda de contactos de la clase
▶ **Simula: preséntate**			

Paso previo

Si te parece adecuado, antes de entrar propiamente en materia, proyecta o presenta los dos mapas con los que se abre el módulo y pide a tus estudiantes que digan nombres de ciudades, países o regiones, o datos de los países hispanohablantes. Se trata simplemente de activar los conocimientos previos que tengan y de compartirlos. Anota en la pizarra o de alguna forma visible la información que aporten tus estudiantes.

Soluciones:

1. México; **2.** Guatemala; **3.** Honduras; **4.** Cuba; **5.** República Dominicana; **6.** Puerto Rico; **7.** El Salvador; **8.** Nicaragua; **9.** Costa Rica; **10.** Panamá; **11.** Ecuador; **12.** Colombia; **13.** Venezuela; **14.** Perú; **15.** Bolivia; **16.** Paraguay; **17.** Argentina; **18.** Uruguay; **19.** Chile. **a.** Galicia; **b.** (Principado de) Asturias; **c.** Cantabria; **d.** País Vasco; **e.** Navarra; **f.** La Rioja; **g.** Aragón; **h.** Cataluña; **i.** Castilla y León; **j.** Madrid; **k.** Extremadura; **l.** Castilla–La Mancha; **m.** Valencia; **n.** Islas Baleares; **ñ.** Murcia; **o.** Andalucía.

Paso 1 | Simula: Preséntate

Objetivos

- Que tus estudiantes aprendan a presentarse en diferentes ámbitos.
- Que conozcan algunas formas de tratamiento básicas.
- Que aprendan los verbos *ser, tener* y *llamarse* para dar y pedir información personal.
- Que aprendan a hablar de la nacionalidad y a diferenciar el género y el número de los adjetivos de nacionalidad.
- Que conozcan el nombre de los idiomas y que hablen de las lenguas que dominan.

Aprende a presentarte

Partimos del reconocimiento de las funciones del saludo y la presentación en diferentes situaciones y ámbitos **(a, b)** para, a partir de ahí, acompañar a tus estudiantes en su proceso de reflexión **(c)** y de análisis inductivo de las reglas gramaticales **(d)** y así dotar a tus estudiantes de todos los recursos necesarios para pedir y dar datos personales **(e, f)**.

Si te parece adecuado, tras completar el diálogo 3 del ejercicio **b**, explícales que en el mundo hispano, en general, las personas usan dos apellidos en situaciones formales, que el primero suele corresponder al primero del padre y que el segundo, al primero de la madre; aprovecha para aclararles también que las mujeres no pierden sus apellidos cuando se casan. Para ampliar y completar la secuencia, pide a tus estudiantes que, tras la realización de **f**, intercambien la información obtenida de su compañero con otros. Para ello, separa las parejas y haz dos grupos. Ahí, cada uno dará su información personal e informará sobre la de su compañero. De ese modo, además de favorecer la cohesión del grupo, harás que practiquen la tercera persona de los verbos. Ilustra la explicación de las formas de tratamiento llevando a clase algún documento real, como un sobre de una carta, algún diploma, etc. Como complemento, puedes pedirles que realicen la actividad 5 del cuaderno de ejercicios.

Soluciones:

a. 2-1-3.

b. 3, Apellido; 1, ¡Buenos días!; 2, ¿De dónde eres?; 1, Encantado; 3, Habitación reservada; 2, ¡Hola!; 3, Nombre; 3, Pasaporte; 2, Profesora; 2, ¿Qué tal?; 1, Tarjeta.

c. **1. ¡Buenos días!**, soy José López Gil, de Edelsa. Aquí tiene mi **tarjeta.**/Mucho gusto, señor López./**Encantado. 2.** Me llamo Mónica y soy la **profesora** de este curso./¡Hola!, yo me llamo Haruki./**Hola**, Haruki, **¿qué tal?** ¿Eres japonesa?/Sí, sí./¿Y, **de dónde eres**, de Tokio?/No, soy de Osaka, pero vivo en Tokio. **3.** ¡Buenas tardes!, tengo una **habitación reservada.**/¿Su **nombre**, por favor?/Ana García./¿Y su segundo **apellido**?/ Vargas, Ana García Vargas./Ah, sí. ¿Su **pasaporte**, por favor?

 2 ─(Descubre las nacionalidades)

a. Comienza pidiendo a tus estudiantes que asocien los nombres típicos con su nacionalidad. Completa la lista con los nombres y las nacionalidades de tus estudiantes que tengas en clase. Pregunta también si conocen algunos otros nombres que sean muy representativos de otros países o qué otros nombres (masculinos y femeninos) son característicos de sus países.

b. y c. Tras este trabajo de contextualización, tus estudiantes estarán preparados para realizar el trabajo de reflexión inductiva y sistematización de las reglas del género y el número de los adjetivos de nacionalidad. Puedes ampliar esta secuencia proponiendo algunos monumentos, personajes famosos o alimentos característicos de los países de **a** y de los de tus estudiantes para que sigan practicando. Como complemento, puedes pedirles que realicen las actividades 3 y 7 del cuaderno de ejercicios.

Soluciones:

b. francés, francesa, franceses, francesas; chino, china, chinos, chinas; japonés, japonesa, japoneses, japonesas; inglés, inglesa, ingleses, inglesas; ruso, rusa, rusos, rusas; alemán, alemana, alemanes, alemanas; sueco, sueca, suecos, suecas; italiano, italiana, italianos, italianas.

c. El masculino en **–o** (por ejemplo, *ruso*) y el femenino **–a**; el plural **+ s** (por ejemplo, *rusas*). El masculino en consonante (por ejemplo, *francés*) y el femenino **+ a** y el plural **+ es** (por ejemplo, *franceses*).

 3 ─(Habla de los idiomas)

Pide a tus estudiantes que escuchen y completen la tabla sobre los idiomas de estas personas. Después, pregúntales sobre sus conocimientos de lenguas extranjeras. Como complemento, puedes pedirles que realicen la actividad 4 del cuaderno de ejercicios.

Soluciones: José López Gil habla y escribe inglés y comprende y lee francés; Haruki Moto comprende francés, lee y escribe chino; Ana García Vargas habla y escribe inglés y francés, y comprende chino.

🔊 **Transcripción del audio:**

- Señor López, ¿usted habla inglés?
- Sí, hablo y escribo inglés. También comprendo y leo francés, pero no hablo francés.
- ¿Y chino?
- No, no. No hablo ni comprendo chino.
- Y tú, Haruki, ¿comprendes chino?
- Bueno, escribo y leo chino, pero no hablo. No hablo inglés y francés..., comprendo un poco.
- Pues yo hablo y escribo inglés y francés, y comprendo un poco chino, pero no lo leo ni lo escribo.

4 **Simula: Preséntate**

a. Te recomendamos que empieces realizando las actividades 1 y 2 del cuaderno de ejercicios. Luego, continúa pidiendo a tus estudiantes que pongan atención a que las tres situaciones corresponden a ámbitos diferentes de nuestras vidas. Pregunta en qué otros lugares se pueden usar cada uno de los grupos de expresiones y así ayudarles a rentabilizar el aprendizaje y a clarificar los ámbitos.

> **Soluciones**: **1**. Con nuevos amigos y compañeros de clase; **2**. En el trabajo, en una empresa; **3**. En un hotel.

b. Organiza la clase en parejas para realizar la simulación. Trata de que cada pareja represente una de las situaciones. Puedes comenzar participando tú en una de las simulaciones para ayudar a tus estudiantes a realizar la tarea. Si tus estudiantes han propuesto alguna situación parecida en **a**, puedes aprovechar para que otra pareja de tus estudiantes la represente.

Paso 2 | Informa: Tu ocupación

Objetivos

- Que tus estudiantes conozcan los nombres de las profesiones y de los lugares de trabajo.
- Que sean capaces de preguntar y decir la ocupación y el lugar de trabajo.
- Que aprendan los artículos determinados e indeterminados.
- Que puedan explicar las actividades relacionadas con cada profesión.

1 **Conoce las profesiones y los lugares de trabajo**

a. Llama la atención de tus estudiantes sobre el cuadro y pídeles que diferencien qué palabras son profesiones y cuáles son lugares de trabajo. Con esta estrategia, les ayudarás a que completen los bocadillos y a que identifiquen las estructuras *ser* + profesión y *trabajar en* + lugar.

b. Tras la actividad anterior, tus estudiantes estarán en disposición de completar el cuadro con el género y el número de los sustantivos que hacen referencia a profesiones. Explica la forma y los usos de los artículos apoyándote en los ejemplos de los bocadillos de **a**.

c. Propón trabajar en parejas para completar los diálogos. Anticípate a las dificultades de vocabulario.

d. Para terminar la secuencia, invita a tus estudiantes a que resuelvan estas adivinanzas. Puedes proponer a tus estudiantes que con el compañero con el que han hecho **c** preparen una adivinanza siguiendo el modelo para la pareja que está a su derecha. Como complemento, puedes pedirles que realicen las actividades 6, 7 y 8 del cuaderno de ejercicios.

> **Soluciones:**
> **a.** a-9; b-5; c-1; d-3; e-6; f-8; g-10; h-2, 4; i-7.
> **b.** cocinero, cocinera; escritor, escritora; estudiante, estudiante; periodista, periodista; camarero, camareros; peluquera, peluqueras; escritor, escritores.
> **c.** 1. ¿Dónde trabajas?/Trabajo en **un** hospital./¿**El** hospital es grande?/Sí, **el** Hospital Central es muy grande. ¿Y tú?/ Yo soy profesor de español en **una** escuela.
> 2. Y tú, ¿qué haces?/Estudio y trabajo en **una** tienda./¿En qué tienda?/Es **una** tienda de ropa. En **la** tienda solo trabajo por la tarde. Por la mañana estudio./¿Y qué estudias?/Estudio Derecho en **la** Universidad Complutense.

2 **Aprende los verbos y las actividades**

a. Tras la primera secuencia, es el momento de la sistematización, que podrán hacer tus estudiantes solos utilizando lo ya visto anteriormente. Busca, pide o da algunos ejemplos de los usos de los verbos *trabajar* (lugar, compañía, instrumento) y *ser* (nombre, nacionalidad, profesión).

b. Antes de que lean los tres anuncios, pide a tus estudiantes que escuchen y traten de identificar, en una primera audición, las profesiones. Después, se leen los tres anuncios en el pleno y vuelve a poner la audición para que asocien las personas que hablan con los anuncios que han leído.

c. Para hacer esta actividad final del bloque, utiliza la pizarra para representar con imágenes los significados de las actividades propuestas. También puedes repartir varias actividades a cada estudiante para que busquen el significado en el diccionario y, después, las expliquen a sus compañeros (usando el dibujo o la gesticulación). Luego, tus estudiantes dirán las profesiones en las que se realizan las actividades y las describirán. Como complemento, puedes pedirles que realicen la actividad 14 del cuaderno de ejercicios.

Soluciones:

a. SER: soy, eres, sos, es, somos, sois, son; TRABAJAR: trabajo, trabajas, trabajás, trabaja, trabajamos, trabajáis, trabajan; VENDER: vendo, vendes, vendés, vende, vendemos, vendéis, venden; ESCRIBIR: escribo, escribes, escribís, escribe, escribimos, escribís, escriben.

b. El primero es un vendedor, 3; el segundo es camarero y estudiante, 2; la tercera es *au pair*, 1.

Transcripción del audio:

1. Buenos días. Soy Pedro Fernández. Soy comercial. Me dedico a vender coches. ¿Le interesa uno?

2. - Y tú, ¿qué haces?

   - Yo soy estudiante. Estudio en la universidad. Pero los fines de semana soy camarero. Trabajo en un restaurante peruano.

3. Estoy en el paro. Busco trabajo de *au pair* o para cuidar ancianos.

3 ─ (**Informa: Tu ocupación**)

a. y b. Del mismo modo que hemos procedido en la última actividad del paso 1, es importante hacer hincapié en cómo los diferentes ámbitos exigen diferente forma de comunicarse.

c. Ahora es el momento de que cada estudiante hable de sí mismo e informe de su ocupación. Puedes ampliar la actividad pidiendo que hablen de la ocupación de algún familiar, de algún amigo o de su pareja.

Paso 3 | Soluciona: Teléfonos de urgencia

Objetivos

- Que tus estudiantes aprendan los números del 1 al 31.
- Que sepan hacer referencia a fechas (del cumpleaños, de días festivos).
- Que sean capaces de preguntar e informar de la edad.
- Que aprendan a decir los números de teléfono.
- Que conozcan los nombres de los servicios de urgencia.

1 ─ (**Aprende los números**)

a. Fija la atención de tus estudiantes en el calendario y señala los elementos que nos dan información: el año, el mes, la semana, el día, la fecha. Pide luego que relacionen las cifras con los nombres de los números.

b. y c. Tras las dos actividades de comprensión auditiva, puedes ampliar con otros días festivos, por ejemplo, las fiestas locales y autonómicas. Por si te parece interesante, puedes informarles de que a la fiesta de la Hispanidad también se la conoce en el mundo hispano por la Fiesta de la Raza y que conmemora la llegada de Cristóbal Colón a América el 12 de octubre de 1492; que San Fermín es una fiesta en Pamplona popularizada por Hemingway donde se producen los conocidos encierros (se sueltan los toros bravos por unas calles cerradas y los jóvenes corren delante de ellos para llevarlos a la plaza de toros); que la fiesta de los Reyes Magos es el día de las Navidades en que se reciben los regalos; que en España, el día de las bromas, al contrario de otros países que es el 1 de abril, es el 28 de diciembre; o que la Nochebuena, el 24 de diciembre, es probablemente la fiesta familiar más importante del año.

Transcripción del audio:

El doce de octubre es el día de la Hispanidad.

El siete de julio es San Fermín.

El Día de los Reyes Magos es el seis de enero.

El Día de los Santos Inocentes es el veintiocho de diciembre.

La Nochebuena es el veinticuatro de diciembre.

El seis de diciembre es el Día de la Constitución.

d. Es el momento de recoger toda la información que hemos visto en **a** en el calendario para aprender a decir la fecha. Insísteles en que, en español, los días se expresan en números cardinales, no en ordinales como en otras lenguas. Pide a tus estudiantes que digan la(s) fecha(s) importante(s) de sus países. Como complemento, puedes pedirles que realicen las actividades 11 y 13 del cuaderno de ejercicios.

Soluciones: c. 1. La Constitución, el seis de diciembre; 2. Día de la Hispanidad, el 12 de octubre; 3. San Fermín, el siete de julio; 4. Los Reyes Magos, el seis de enero; 5. Los Santos Inocentes, el 28 de diciembre; 6. Nochebuena, el 24 de diciembre.

Idea 2.0
Calendario festivo internacional Google Calendar

Utiliza Google Calendar para crear un calendario festivo internacional en el que ir añadiendo los días festivos de los diferentes países de donde procedan tus estudiantes. Puedes crear diferentes calendarios con diferentes colores para cada país y, al editar cada evento, puedes añadir información, enlaces, descripciones, etc. Solo necesitas una cuenta de Gmail para acceder a Google Calendar con el nombre de usuario y la contraseña del correo electrónico. En la columna lateral izquierda tenemos la opción de crear calendarios (por ejemplo, podemos llamar a cada calendario por el nombre del país y elegir un color) que se pueden visualizar al mismo tiempo u ocultar los que no nos interesen. Cuando creamos un evento (un día festivo), elegiremos el calendario al que pertenece (el país) y, haciendo clic sobre la opción Editar, podremos añadir toda la información que consideremos importante en cualquier momento.

http://calendar.google.com

2 Aprende a hablar de la edad y del cumpleaños

a. y b. Tras la audición y la corrección de la actividad de comprensión auditiva, presentamos la forma del verbo *tener* y su uso para preguntar y decir la edad (**a**), que se practica en **b**. Aclara que en español no se dice la edad con el verbo *ser* sino con el verbo *tener*. Propón este simple juego para seguir practicando esta función: adivinar la edad de algunos famosos y comprobar, posteriormente, con la ayuda de Wikipedia, quién se ha acercado más a la realidad. Como complemento, puedes pedirles que realicen las actividades 12 y 15 del cuaderno de ejercicios.

Soluciones: a. 1. No, son compañeros de clase. **2.** El profesor y la chica; él tiene 44 años. **3.** El cumpleaños de él es el 17 de noviembre; el cumpleaños de ella es el 5 de julio.

Transcripción del audio:

- ¿Sabes, María? La próxima semana es el cumpleaños del profe.

- ¡Ah! ¿Sí? ¿Y cuántos años tiene?

- Tiene 32.

- ¡Qué casualidad, yo también! Y tú, ¿cuántos años tienes?

- Cuarenta y cuatro.

- ¿Y cuándo es tu cumpleaños?

- El 17 de noviembre.

- Mi cumpleaños es el 5 de julio.

a. Puedes comenzar fijando la atención de tus estudiantes en el cuadro lateral de iconos de los servicios de urgencia y pídeles que los clasifiquen en estos casos: cuando llegas a una nueva ciudad, en caso de accidente y en caso de robo. Una vez realizado este ejercicio de contextualización y anticipación, les puede resultar más fácil realizar la primera parte de esta actividad. Si bien, antes pide a tus estudiantes que extraigan la mayor cantidad de información posible. Haz una lluvia de ideas para que salgan a la luz los detalles: el ladrón que anda de puntillas por detrás, el billete pisoteado, los textos de los bocadillos...

b. y c. Para contextualizar la segunda y la tercera parte de la actividad, empieza preguntando si saben dónde está Málaga y dales algunos datos de la ciudad. Aclárales que la Seguridad Social es el sistema sanitario público.

Soluciones: b. Llama a urgencias de la Seguridad Social, al aeropuerto, a la Policía Nacional, al taxi y a Pérdidas de tarjetas (Visa).

Transcripción del audio:
Por favor, ¿el teléfono de....?
Sí, es el nueve, cero, dos, cincuenta, cincuenta, sesenta y uno.
Nueve, cinco, dos, cero, cuatro, ochenta y ocho, cero, cuatro.
Nueve, uno, tres, sesenta y dos, sesenta y dos, cero, cero.
Nueve, cinco, dos, treinta y tres, treinta y tres, treinta y tres.
Cero, nueve, uno.

Paso 4 | Repasa y actúa: Haz tu agenda

Objetivos
- Que tus estudiantes repasen y practiquen todos los contenidos vistos en el módulo 1.
- Que sean capaces de integrarlos a fin de realizar con éxito una tarea final: confeccionar la agenda de contactos de la clase.

En el paso 4 se propone una revisión de lo aprendido en los tres primeros pasos, así las actividades invitan a recordar y practicar los contenidos ya vistos y se da un paso más en algunos casos, por ejemplo:

3. Donde se amplían las reglas del género de los sustantivos.

5. Donde se presentan algunos nombres familiares.

Soluciones:

1. **a.** Hola, me llamo Javier y tengo treinta y ocho años. Vivo en Madrid y trabajo en una oficina. Soy abogado. Ella es Rocío, la directora. Tiene treinta años y es argentina.

   b. 1. ¿Cómo te llamas?; **2.** ¿De dónde eres?; **3.** ¿Cuántos años tienes?; **4.** ¿Dónde trabajas?

2. Roberto Pinto tiene 57 años, empieza el curso el 10 de octubre y dura dos semanas; El apellido de Guilia es Manenti, hace un curso estándar que empieza el 6 de mayo y termina el 3 de junio.

3. **a.** Masculinas: el alumno, el diccionario, el pegamento, el cuaderno, el bolígrafo; Femeninas: la carpeta, la papelera, la mochila, la calculadora, la ventana, la goma, la pizarra, la silla.

   b. 1 y 3, a; 2, 4 y 5, b.

   c. 1. El profesor; **2.** El camarero; **3.** Los libros; **4.** El teléfono; **5.** Las casas; **6.** Los apellidos; **7.** Las tiendas; **8.** Las pizarras; **9.** La mesa; **10.** El nombre.

   d. ¡Qué bonito! Es **un** cuadro muy curioso./Sí, es **una** pintura de Picasso./¿Picasso? ¿Es **el** autor del *Guernica*?/ Exacto. *Guernica* es **la** pintura más famosa de Picasso.

   e. 1. Se llama Antonio Banderas, es actor y es español; **2.** Se llama Isabel Allende, es escritora y es chilena; **3.** Se llama Penélope Cruz, es actriz y es española; **4.** Se llama Ricky Martin, es cantante y es puertorriqueño; **5.** Se llama Leo Messi, es futbolista y es argentino.

4. a. Una profesora trabaja en una escuela; una cajera trabaja en un supermercado; una enfermera trabaja en un hospital; un peluquero trabaja en una peluquería; un abogado trabaja en un bufete; un camarero trabaja en un bar.

  b. camarero, camarera; cantante, cantante; tenista, tenista; traductor, traductora.

  c. 1. Somos ocho alumno**s** de nivel básico; **2.** Los profesor**es** dan buenas leccion**es**; **3.** Los artist**as** son interesant**es**; **4.** Los doctores trabajan en un hospital; **5.** El mecánico arregla coche**s**; **6.** En las clase**s** tenemos pizarras digitale**s**.

5. a-6; b-5; c-3; d-2; e-1; f-4.

6. 1. 9; **2.** B27; **3.** 914165511; **4.** IB3268.

Si trabajas con *Meta ELE A1*, tienes una audición extra anterior y las respuestas son: 1. 16,56 €; 2. 25 €; 3. 1 223 €; 4. 66,75 €; 5. 2 559,84 €.

Transcripción del audio:

1	2
- ¿Cómo se llama?	- ¿Cómo te llamas?
- Roberto. Roberto Pinto.	- Giulia.
- ¿Cuántos años tiene usted?	- ¿Apellido?
- Cincuenta y siete.	- Manenti. Eme, a, ene, e, ene, te, i.
- Cincuenta y siete años.	- ¿Cuántos años tienes?
- ¿De dónde es?	- Veintidós.
- Soy brasileño, de Río de Janeiro.	- ¿De dónde eres, italiana?
- ¿Qué tipo de curso quiere hacer usted?	- Sí, italiana. De Milán.
- El estándar.	- ¿Tipo de curso?
- ¿Cuándo?	- Estándar de cuatro semanas.
- Del 10 de octubre al 24 de octubre.	- Cuatro semanas, muy bien. ¿Fecha de inicio?
- Dos semanas, ¿verdad?	- 6 de mayo.
- Sí.	- ¿Y fecha final?
	- 3 de junio.
	- De acuerdo.

Acción

En esta tarea tus estudiantes deben demostrar que han adquirido y asimilado los contenidos vistos a lo largo del módulo 1. Antes de realizar la acción final, pide a tus estudiantes que se abran una cuenta de correo electrónico.

Idea 2.0
Mi dirección española de correo electrónico Gmail

Pide a tus estudiantes que se abran una dirección de correo electrónico para su curso de español. Propón que lo hagan en Gmail, porque les servirá para otras tareas que les propondremos con otras herramientas 2.0, muchas de ellas de Google. Abrir la cuenta de correo es una tarea muy interesante, ya que deberán rellenar un formulario con sus datos personales. Puedes proyectar el formulario y guiar el proceso. Una vez creada la cuenta, pide que te envíen un mensaje. Cuando tengas todas las direcciones de Gmail de tus estudiantes, envía un mensaje a todos con el listado de la clase.

http://gmail.com

Módulo 2

Conoce un nuevo entorno

OBJETIVOS GENERALES

- **Que tus estudiantes sean capaces de describir y valorar distintos tipos de vivienda.**
- **Que puedan redactar un anuncio ofreciendo o buscando piso.**
- **Que aprendan a escribir una dirección postal.**
- **Que sean capaces de referirse y recomendar los lugares de interés de una ciudad.**
- **Que puedan pedir y dar información sobre una dirección.**
- **Que aprendan a llamar la atención de su interlocutor en diferentes situaciones.**

El recorrido hacia la meta (acción):

Paso 1	Paso 2	Paso 3	Paso 4
▶ Conoce tipos de alojamiento y valóralos	▶ Prepárate para describir ciudades	▶ Conoce el vocabulario urbano	▶ Repasa los contenidos de los pasos 1, 2 y 3
▶ Aprende a describir una casa	▶ Fíjate en algunos motivos para preferir una ciudad	▶ Aprende el verbo «ir»	**Acción**
▶ Fíjate en la forma de dar y escribir una dirección	▶ **Informa: tus preferencias**	▶ Aprende a preguntar y dar direcciones	▶ Escribe un anuncio
▶ **Simula: recomienda tus lugares**		▶ **Soluciona: oriéntate en la ciudad**	

Paso previo

Si te parece adecuado, antes de entrar propiamente en materia, proyecta la imagen de entrada al módulo o presenta fotos de lugares públicos y pide a tus estudiantes que digan palabras del entorno urbano. Se trata simplemente de activar los conocimientos previos.

Paso 1 | Simula: Recomienda tus lugares

Objetivos

- Que tus estudiantes conozcan algunos tipos de vivienda básicos y que sean capaces de pedir y dar información sobre sus características y sus partes.
- Que aprendan a describir una casa y a utilizar, para ello, los verbos *ser*, *estar* y *tener*.
- Que sean capaces de interpretar las direcciones postales, de preguntar por ellas y de darlas.
- Que recomienden sus lugares favoritos de la ciudad.

1 Conoce tipos de alojamiento y valóralos

a. y b. Para ampliar, haz preguntas opuestas o alternativas a las que se proponen. Por ejemplo, (1) *¿Cuál es el más caro? ¿Y el más barato?*, (2) *¿Cuál está más cerca del centro? ¿Y de la playa?* o (4) *Según el motivo de tu viaje (...) ¿Y si vas a hacer un curso de español/una reunión de trabajo/de vacaciones con la familia/de vacaciones con tus amigos?*

c. Lleva o proyecta fotos de algunos lugares hispanos que se caractericen por diferentes motivos: ruinas como Machu Picchu o Chichén Itzá, playas como las del Caribe o la Costa del Sol, monumentos como la Sagrada Familia, pinacotecas como el Museo del Prado o el Frida Kahlo, imágenes naturales como las selvas de Costa Rica o Sierra Nevada, estadios de fútbol, personajes como Shakira, Pedro Almodóvar... para contextualizar la pregunta por los motivos para viajar a un país hispano. Dirige la lluvia de ideas de modo que se relacionen las fotos con los tipos de viaje y, de ese modo, ayudar a la elección del tipo de alojamiento, sus ventajas e inconvenientes, una vez aclarado el significado de las palabras del cuadro. Como complemento, puedes pedirles que realicen las actividades 2 y 3 del cuaderno de ejercicios

> **Soluciones:** **a.** 1. Hotel Sol y playa; 2. Se alquila chalé; 3. Se busca compañero de piso.
>
> **c.** 1. El hotel, 2. El piso.

2 Aprende a describir tu casa

a., b. y **c.** Esta secuencia parte del vocabulario de las partes de la casa a partir de un plano (**a**), sigue con la presentación de una descripción de una vivienda para realizar con tus estudiantes la reflexión inductiva a fin de que consigan completar la explicación de los usos de *ser, estar* y *tener* en esta función (**b**) y culmina con una actividad de producción: describir la propia casa de tus estudiantes. Si lo consideras adecuado, pide que lo hagan por escrito primero y, posteriormente, lo lean a los compañeros. Hay estudiantes que necesitan fijar por escrito la reflexión gramatical hecha. Como complemento, puedes pedirles que realicen la actividad 1 del cuaderno de ejercicios.

Soluciones:

a. la cocina-5; el cuarto de baño-4; el dormitorio-2; la entrada-3; el salón-1.

c. Usamos *ser* para informar de las **características** de la casa. Usamos *estar* para informar de la **localización** de la casa. Usamos *tener* para informar de las **partes** de la casa.

Idea 2.0
Una casa para las vacaciones en España   Idealista

Idealista.com es uno de los portales inmobiliarios más importantes de España y dispone de un motor de búsqueda muy sencillo que permitirá a tus estudiantes utilizar el vocabulario que ha aprendido en este módulo en una situación real. Pide que encuentren una vivienda para pasar las vacaciones en España con unas determinadas características. Puedes decir tú las características y el destino, lo podéis decidir por consenso o puedes dejarlo a su elección.

http://www.idealista.com

3 Fíjate en la forma de dar y escribir una dirección

Antes de pedir a tus estudiantes que realicen esta secuencia de actividades, asegúrate de que entienden el significado de las palabras del cuadro de abreviaturas. Si trabajas con *Meta ELE A1*, tienes una segunda actividad complementaria con una audición. Como complemento, puedes pedirles que realicen la actividad 12 del cuaderno de ejercicios.

Idea 2.0
Mi tarjeta de visita Mi tarjeta personal

Si bien no es una herramienta 2.0, este generador de tarjetas de visita es interesante. No requiere registro. Simplemente tienes que elegir el diseño e introducir los datos que quieras incluir en tu tarjeta. La página genera un documento en PDF que puedes descargar e imprimir, si quieres. Propón a tus estudiantes que utilicen las abreviaturas que han aprendido en este paso para escribir la dirección y las que aprendieron en el módulo 1 para el tratamiento formal de las personas.

http://www.mitarjetapersonal.com

4 Simula: Recomienda tus lugares

Esta actividad recoge todo lo visto en el paso 1 y les brinda a tus estudiantes la posibilidad de hablar de sus gustos y preferencias y de justificarlos de manera básica, pero efectiva. Puedes proponer que hagan un breve folleto de la ciudad con todas las recomendaciones aportadas por el grupo.

Idea 2.0
Localiza los lugares que recomiendas Google Places

Pide a tus estudiantes que utilicen esta herramienta para localizar en el mapa de la ciudad los lugares que recomiendan en la actividad 4: los restaurantes, las tiendas, los bares y los hoteles.

http://www.google.com/places

Objetivos

- Que tus estudiantes puedan decir las características que más les gustan de una ciudad.
- Que aprendan a dar información sobre una ciudad: localización, características, lugares de interés, etc.
- Que sean capaces de hablar de su ciudad preferida y justificarlo.

1 — Prepárate para describir ciudades

a. Comienza escribiendo en la pizarra una frase, como la del bocadillo central, con tu opinión personal sobre el tema para que se sientan seguros con la estructura que deberán utilizar y para que sirva de contextualización. Por ejemplo, *Para mí una ciudad es interesante si tiene muchos monumentos y museos... y si hay buenos restaurantes. Y también es importante el buen tiempo.* A continuación, deja un momento para que marquen las opciones de la lista y consulten las dudas de significado, y propón que cada estudiante exprese su opinión sobre el tema. Una vez expresadas las ideas propias sobre lo que es importante en una ciudad, pregunta qué ciudad de las que conocen tiene esas características.

b. Amplía la actividad sobre Madrid y Barcelona explotando al máximo los mapas con preguntas dirigidas cerradas (por ejemplo, *¿dónde está el Mirador de Colón? ¿Y la Plaza Mayor?*) o abiertas (por ejemplo, *¿qué otros parques hay en Madrid?* o *¿qué otros monumentos hay en Barcelona?*). Ahora, explica el contraste entre *hay* y *estar* apoyándote en los ejemplos anteriores.

c. Una vez completado el texto y corregido, propón que escriban un breve texto de las mismas características sobre su ciudad, dejando los huecos de los verbos (*hay/estar*). Corrige los textos individualmente y explícales los errores; pide que cada estudiante se intercambie el texto con un compañero, que lo completen y que lo devuelvan al compañero que lo corregirá y le explicará los fallos. Asegúrate de que está todo claro y soluciona las dudas que hayan surgido. Como complemento, puedes pedirles que realicen la actividad 4 del cuaderno de ejercicios.

Soluciones:

b. Sí, en Madrid hay un parque grande para pasear, el Retiro; En Barcelona hay playas y están en la Barceloneta; El Museo del Prado está en Madrid y es una de las mejores pinacotecas de arte clásico (desde la Edad Media hasta principios del siglo xx) europeo del mundo; Los edificios del arquitecto modernista Antonio Gaudí están en Barcelona (la catedral de la Sagrada Familia, el parque Güell o las casas Mitlá y la Pedrera); El Camp Nou es el estadio de fútbol del Barça y están en Barcelona; Sí, está en el Prat.

c. ¿Madrid o Barcelona? Es una pregunta difícil. Pero la respuesta es fácil: depende. En Madrid **hay** muchos museos, por ejemplo **está** el Museo del Prado, con la pintura clásica europea, o el Museo Reina Sofía. También **hay** lugares muy importantes e históricos: **está** la Puerta del Sol, la fuente de Cibeles y **hay** un parque muy bueno, el parque del Retiro. En Madrid **está** el Palacio Real. Pero, sobre todo, en Madrid **hay** una gran vida por la noche: **hay** muchos bares y restaurantes, y muchas discotecas. En Barcelona **está** la Sagrada Familia, la Pedrera, el parque Güell y **hay** otras obras de Gaudí. **Hay** museos de arte moderno (**está** el Museo Picasso, el MACBA, la Fundación Miró) y **hay** playas muy buenas. En Barcelona **están** las Ramblas y el Puerto Olímpico. La mejor opción es visitar las dos ciudades.

2 — Fíjate en algunos motivos para preferir una ciudad

a. Después de hacer esta actividad, puedes ampliar la información sobre las ciudades apoyándote en un mapa de España para ubicarlas, hablar de otras ciudades que están cerca y de algunos de sus lugares de interés. Utiliza otros ejemplos que sirvan para seguir fijando los verbos que se usan para describir ciudades (*ser, estar, haber*). Por ejemplo, *En Málaga hay monumentos árabes. En Salamanca está la universidad más antigua de España.*

Transcripción del audio:

Málaga es muy bonita y no es muy grande. Está en el sur, junto al mar y, en verano, hay muchos turistas, españoles y extranjeros. Es una ciudad abierta al mar y, por eso, es muy luminosa. Salamanca es una ciudad maravillosa. Es una ciudad universitaria. Por eso, es intelectual e histórica. Es una ciudad tranquila, pero también hay vida por la noche, pues en el centro está la universidad.

b. Después de completar los textos, propón un juego: di algunas frases y tus estudiantes tienen que decir a qué ciudad corresponde cada afirmación. El que primero levante la mano será quien responderá.

> 1. Es la capital de su país. (Santiago, Chile)
>
> 2. En esta ciudad está el origen de la música tradicional de su país. (Santiago, Cuba)
>
> 3. El Palacio de la Moneda está aquí. (Santiago, Chile)
>
> 4. Son ciudades universitarias. (Santiago, España; Córdoba, Argentina)
>
> 5. Es la séptima ciudad más poblada de América Latina. (Santiago, Chile)
>
> 6. La catedral está en la Plaza del Obradoiro, en el centro de la ciudad. (Santiago, España)

Como complemento, puedes pedirles que realicen las actividades 5 y 6 del cuaderno de ejercicios.

Soluciones: **b. Chile: Es** la capital del país y tiene más de 5,5 millones de habitantes. En la ciudad **están** los principales organismos del gobierno, excepto el Congreso (que **está** en Valparaíso a 92 kilómetros). El Palacio de la Moneda y la Iglesia de San Francisco **son** los lugares más interesantes.
España: Es una ciudad grande y **es** la capital de Galicia (que **está** en el noreste). **Es** Patrimonio de la Humanidad de la Unesco. **Es** una ciudad universitaria y un importante centro religioso cristiano. En el centro **está** la catedral.
Cuba: Es la segunda ciudad del país, después de La Habana. Tiene un puerto muy importante. **Está** cerca de la sierra Maestra y el clima **es** cálido y húmedo. Tiene medio millón de habitantes y allí **está** el origen de la música tradicional cubana: el son, el bolero y la trova.

3 — Informa: Tus preferencias

Deja tiempo para que completen la ficha antes de contar al grupo cuáles son sus preferencias. Como complemento, puedes pedirles que realicen la actividad 8 del cuaderno de ejercicios.

Idea 2.0
Fotos del mundo Panoramio

Panoramio es una página web en la que los usuarios publican fotos y las geolocalizan en el mapa. Está integrado con Google Maps y con Google Earth. Propón a tus estudiantes que utilicen esta herramienta durante la preparación y la presentación de su ciudad favorita (actividad 3). Su utilización es muy simple: accede al mapa y, con la herramienta de zoom o haciendo doble clic sobre la zona del mapa que quieras, ve acercándote a los puntos exactos donde están georreferenciadas las imágenes. Haciendo clic sobre la imagen, la verás más grande.

http://www.panoramio.com/map/

Paso 3 | Soluciona: Oriéntate en la ciudad

Objetivos

- Que aprendan el vocabulario para referirse a los servicios públicos, los lugares y el mobiliario de la ciudad.
- Que puedan hablar de los lugares donde van y del medio de transporte que usan para hacerlo.
- Que sean capaces de preguntar y dar indicaciones para llegar a un lugar.
- Que puedan desenvolverse en una ciudad en la que se encuentran perdidos.

1 — Conoce el vocabulario urbano

a. y **b.** Comienza extrayendo el máximo de información de la imagen tratando de que se fijen en los detalles: rótulos de establecimientos, iconos, señales, etc. Puedes ampliar el vocabulario a partir de la imagen: el paso de peatones, el aparcamiento, el semáforo... Tras el trabajo con la imagen y las palabras, en la segunda parte, propón la clasificación de las palabras en categorías, estrategia que servirá a tus estudiantes para fijar mejor el vocabulario nuevo.

Soluciones:
a. banco, 13; bar, 10; calle, 7; colegio, 11; estación de metro, 4; farmacia, 9; hospital, 2; iglesia, 8; museo, 15; parada de autobús, 14; parada de taxi, 5; parque, 1; peluquería, 3; quiosco, 12; restaurante, 6; supermercado, 16.

2 — Aprende el verbo «ir»

a. Como forma alternativa de trabajar, puedes pedir a un estudiante que lea el diálogo a su compañero y que este rellene la tabla con la forma del verbo *ir* y la explicación de las preposiciones. Después, con la colaboración de tus estudiantes, recoge toda la información sobre el verbo *ir* (morfología y usos).

b. Después de hacer la actividad, puedes hacer otras preguntas a tus estudiantes. Por ejemplo, *¿cómo van al centro?, ¿cómo van al trabajo/la universidad?, ¿cómo va su padre a trabajar?*, etc. Si te parece oportuno, señálales que hay dos únicas excepciones a la regla de *ir + en +* medio de transporte: *ir a pie* e *ir a caballo*.

c. Para hacer la actividad más interactiva y, al mismo tiempo, para que no sea necesario escuchar a todos los estudiantes indicando su itinerario si la clase es muy numerosa, haz la actividad en parejas: uno le explica al otro su itinerario y este toma notas o sigue el recorrido en un plano de la ciudad. Como complemento, puedes pedirles que realicen las actividades 10 y 11 del cuaderno de ejercicios.

> **Soluciones:** **a.** *Ir:* voy, vas, va, vamos, vais, van.
>
> **b.** *Ir + a +* lugar; *Ir + en +* medio de transporte; *Ir + con +* persona.

3 Aprende a preguntar y dar direcciones

a. y b. Tras hacer este bloque de actividades, pide a tus estudiantes que construyan un diálogo en parejas parecido a alguno de los que han escuchado aprovechando los lugares próximos al centro donde están. Como complemento, puedes pedirles que realicen las actividades 9 y 12 del cuaderno de ejercicios.

> **Soluciones:** **a.** El rectángulo más a la izquierda es el Museo de Arte Moderno, diálogo 2; el rectángulo en el centro, junto a la plaza, es la parada de taxis, diálogo 3; el rectángulo más a la derecha es la farmacia, diálogo 1.
>
> **b.** Para llamar la atención: *Perdone…, Disculpe…*; Para preguntar por un lugar: *¿Hay una parada de taxi cerca?, ¿Una farmacia, por favor?;* Para explicar una dirección: *Todo recto por esta calle hasta el semáforo, Al final de la calle, a la derecha.*

Transcripción del audio:

1. - Oiga, ¿una farmacia, por favor?
   - Sí, claro. Al final de esta calle, a la derecha, enfrente del supermercado.
   - Ah, muchas gracias.
   - De nada. Hasta luego.
   - Adiós, gracias.

2. - Perdona, ¿dónde está el Museo de Arte Moderno?
   - Pues... está un poco lejos, pero es muy fácil. Vas por esta calle y tomas la primera a la izquierda. Después, sigue toda la calle, cruza la plaza y al final, la cuarta a la derecha es la avenida de las Américas y allí está.
   - Gracias.
   - De nada.

3. - Disculpe, ¿hay una parada de taxi cerca?
   - Sí, más o menos... En la esquina, giras a la izquierda y llegas a una plaza, ¿vale?
   - Sí.
   - Bien. En la plaza tomas la tercera calle a la derecha. En la esquina hay un hotel y allí hay una parada.
   - ¡Ah! Vale, gracias.

4 Soluciona: Oriéntate en la ciudad

a. y b. Comienza, como siempre, buscando información en la imagen. En este caso nos interesa, por un lado, lo inhóspito del entorno que nos indica que no es un lugar turístico y, por otro, el prototipo de turista perdido con su cámara, su plano y sus documentos... También es útil que tus estudiantes extraigan el objetivo de cada una de las expresiones sugeridas: cuáles se usan para llamar la atención, cuáles para preguntar por un lugar, cuáles para ayudar a la comunicación en español... Si te es posible, proyecta la imagen y promueve la conversación plenaria.

Para empezar, podemos utilizar esta herramienta para proyectar la zona donde estamos, señalando los servicios que hay alrededor (1. Conoce el vocabulario urbano). Para ampliar, pide a tus estudiantes que busquen en el mapa dónde está su casa e informen de los servicios y lugares de interés que hay cerca. Por otro lado, la opción 'Cómo llegar' (a la izquierda) genera el itinerario más corto para llegar de un punto A a un punto B según el medio que elijas (a pie, en autobús, en coche...), así que puedes usarla para que busquen la mejor opción para ir de un lugar a otro (2. Aprende el verbo «ir»). Finalmente, puedes utilizar Google Maps para la simulación del apartado b de la actividad 4. Busca en el mapa el centro de la ciudad –donde se encuentren los lugares más turísticos– e indica dónde se encuentra nuestro turista (tus estudiantes, en este caso) para que la simulación se base en un entorno concreto.

http://maps.google.com

Paso 4 | Repasa y actúa: Escribe un anuncio

Objetivos

- Que repasen y practiquen todos los contenidos vistos en el módulo 2.
- Que sean capaces de integrarlos para realizar con éxito una tarea final: escribir un anuncio para alquilar, comprar o hacer un intercambio de piso.

En el paso 4 se propone una revisión de lo aprendido en los tres primeros pasos, así las actividades invitan a recordar y practicar los contenidos ya vistos y se da un paso más en algunos casos, por ejemplo:

2. Donde se presentan las contracciones *al* y *del*.

4. Donde se presentan los números ordinales.

Soluciones: **1. a. Buenos Aires: Es** la capital de Argentina. **Está** en la región centro-este del país. Buenos Aires **tiene** trece millones de habitantes y **es** la segunda ciudad más poblada de Sudamérica. **Es** el centro político y económico del país. En Buenos Aires **hay** muchas librerías, teatros, museos, bibliotecas, galerías de arte, porque la ciudad **es** un gran centro artístico y cultural.

Cuzco (o Cusco): Es una ciudad que **está** en el sureste del Perú. Cuzco **tiene** casi 400 000 habitantes y **es** el principal destino turístico del Perú. En Cuzco **hay** muchísimos monumentos incas. Uno de los lugares más famosos de la ciudad **es** la plaza de Armas. En esa plaza **está** la catedral.

Ciudad de Panamá: Es la capital de la República de Panamá y **es** también la ciudad más grande del país. La ciudad **está** en el centro, en el océano Pacífico. Ciudad de Panamá **tiene** más de un millón de personas. En la ciudad **hay** muchos monumentos antiguos, grandes avenidas y, claro, también **está** el canal de Panamá. **Hay** muchos parques naturales donde **hay** plantas y animales exóticos.

b. a. Hay un coche en el garaje, es un coche genérico; **b.** Mi coche **está** en el parque, el coche es determinado, específico. **a.** La puerta **está** abierta, es una circunstancia, un estado; **b.** La ventana **es** grande, es una característica que la identifica. **a.** Pablo **tiene** 24 años, indica la edad; **b.** Paula **es** enfermera, indica la profesión. **a.** ¿Dónde **estás**? En la playa, indica la ubicación, localización; **b.** ¿De dónde **eres**? De Granada, Indica nacionalidad, origen o procedencia.

2. 1. ¿Dónde vas?/Voy **al** cine./¿Dónde está el cine?/**En** el centro **del** pueblo. 2. ¿Pablo va **a** París el jueves?/Sí, va **en** avión. 3. Marta está **en** la playa. ¡Vamos!/Vale yo voy **en** bicicleta./Yo no tengo, pero voy **a** pie. 4. ¿Vas **a** la escuela **en** coche?/No, normalmente voy **en** metro, pero hoy voy **al** centro comercial después de clase.

3. El orden de los diálogos es 4-3-1-2.

Transcripción del audio:

1

- Por favor, ¿la oficina de turismo?
- Sí, está muy cerca. Tiene que girar por la segunda calle a la derecha, hasta la plaza, ¿vale?
- Sí.
- Y después tiene que cruzar la plaza. La oficina de turismo está entre el ayuntamiento y una tienda de ropa.
- Muy bien, muchas gracias.
- De nada.

2

- Hola, buenos días.
- Buenos días. ¿Dónde vamos?
- Al hotel Europa.
- ¿Hotel Europa?
- Sí. En la avenida de América, 18.
- ¡Ah, sí! Está junto a una cafetería muy grande. [...]
- Ya estamos aquí.
- Muy bien, ¿cuánto es?
- 16,50 € por favor.
- Aquí tiene.
- ¡Muchas gracias!

3

- Perdone, ¿qué número va al barrio de San Martín?
- ¿Al barrio de San Martín?
- Sí. Voy al estadio de fútbol.
- ¡Ah, sí! El 15 va allí.
- ¿El 15?
- Sí. El 23 y el 76 también van cerca, pero el 15 para en la puerta del estadio.
- Muchas gracias.

4

- Por favor, el mostrador de Iberia.
- Al final del pasillo, mostrador 352.
- Gracias.

Acción

En esta tarea tus estudiantes deben demostrar que han adquirido y asimilado los contenidos vistos a lo largo del módulo 2.

Idea 2.0
Anuncio Segundamano

Se puede aprovechar el portal bien para que el alumno simule publicar un anuncio, bien para presentar algunos modelos de anuncios que otras personas hayan publicado.

http://www.segundamano.es

Organiza tu tiempo

OBJETIVOS GENERALES

- **Que sean capaces de preguntar y decir la hora que es y la hora a la que tienen lugar los acontecimientos y actividades.**
- **Que aprendan a hablar de los horarios habituales y de las acciones cotidianas.**
- **Que puedan hacer referencia a la frecuencia con la que hacen u ocurren las acciones.**
- **Que sean capaces de proponer planes, aceptarlos, quedar para hacerlos o rechazarlos y poner excusas.**

El recorrido hacia la meta (acción):

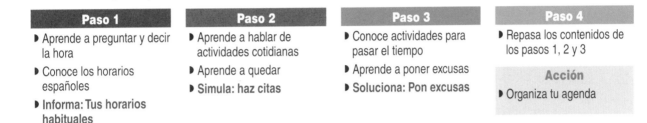

Paso 1	Paso 2	Paso 3	Paso 4
▶ Aprende a preguntar y decir la hora	▶ Aprende a hablar de actividades cotidianas	▶ Conoce actividades para pasar el tiempo	▶ Repasa los contenidos de los pasos 1, 2 y 3
▶ Conoce los horarios españoles	▶ Aprende a quedar	▶ Aprende a poner excusas	**Acción**
▶ Informa: Tus horarios habituales	▶ Simula: haz citas	▶ Soluciona: Pon excusas	▶ Organiza tu agenda

Paso 1 | Informa: Tus horarios habituales

Objetivos

- Que sean capaces de preguntar y decir la hora que es.
- Que sean capaces de preguntar y decir la hora a la que tienen lugar las acciones.
- Que conozcan los horarios habituales de los establecimientos en España.
- Que aprendan a informar de sus horarios habituales.

1 ── (**Aprende a preguntar y decir la hora**)

a., b. y **c.** Forma parejas para que lean las cuatro frases y dibujen las agujas de los cuatro relojes. Saca un voluntario para corregirlo en el pleno. Proyecta, si es posible, el mapa horario, explica las expresiones de las horas haciendo énfasis en que se dice *es la una*, pero *son las dos, las tres…* Completa la actividad preguntando la hora que es en otras ciudades que conocen, donde vive algún amigo o familiar, etc.

 Transcripción del audio:

1. Son las doce del mediodía. Noticias...
2. Llegada del vuelo procedente de Montevideo, Uruguay, prevista para las 18:30 horas.
3. Marta, son casi las ocho y media. ¡Vamos, a la escuela!
4. Tren con destino Pamplona tiene prevista su salida a las diez menos diez.
5. Buenas tardes, son las tres en punto y estas son las noticias.

d. La pregunta *¿Se dice igual en tu país?* busca que tus estudiantes reflexionen sobre su propia lengua y sobre la nueva lengua y eviten cometer errores del tipo *el mediodía y media, son cinco para las cuatro* o *son las dieciocho y cuarto.* Puedes informar a tus estudiantes de que en algunos lugares de América Latina se pregunta por la hora diciendo *¿Qué horas son?* Aprovecha cualquier momento de la sesión para preguntar aleatoriamente la hora que es en cada momento. Como complemento, puedes pedirles que realicen la actividad 1 del cuaderno de ejercicios.

Soluciones: c. 1. Son las doce del mediodía, las 12:00; **2.** Son las seis y media de la tarde, las 18:30; **3.** Son las ocho y media de la mañana, las 8:30; **4.** Son las nueve y media de la mañana, las 9:30; **5.** Son las tres de la tarde, las 15:00.

② Conoce los horarios españoles

a. Intenta extraer, con tus estudiantes, el máximo de información de las fotos por medio de preguntas y trata de que establezcan comparaciones con sus países (o con otros países que conocen) para desarrollar la competencia intercultural. Por ejemplo:

- ¿Hay algún establecimiento que abre los domingos? (¿en tu país es igual?)
- ¿Hay algún establecimiento que tiene horario solo de mañana? (¿en tu país es igual?)
- ¿Hay algo más de estos horarios que te sorprende? Por ejemplo, la jornada partida de la administración de loterías y de la tienda de móviles. ¿Qué otros establecimientos piensas que tienen jornada partida. ¿En tu país es igual?
- ¿Te parece bien el horario de los bancos en España? ¿Qué desventajas tiene este horario? ¿En tu país es igual?

b. Procede a la lectura, comenta las diferencias y lo que llama la atención a tus estudiantes. Si estás en inmersión, puedes proponer que salgan del aula y fotografíen los horarios de los establecimientos que están alrededor del centro, comparen y amplíen el repertorio que se presenta en **a**. Como complemento, puedes pedirles que realicen la actividad 7 del cuaderno de ejercicios.

Soluciones: a. **1.** Una administración de lotería está abierta todos los días, excepto los domingos, desde las nueve de la mañana hasta la una y media del mediodía y, de lunes a viernes, desde las cinco de la tarde hasta las ocho y media de la tarde; **2.** Una tienda de última hora está abierta todos los días desde las ocho de la mañana hasta las dos de la noche o madrugada; **3.** Una farmacia está abierta de lunes a viernes, desde las nueve de la mañana hasta las nueve de la noche; **4.** Unos grandes almacenes están abiertos todos los días, excepto los domingos, desde las diez de la mañana hasta las diez de la noche; **5.** Una gasolinera está abierta todos los días y a todas horas; **6.** Un supermercado está abierto todos los días, excepto los domingos, desde las nueve y cuarto de la mañana hasta las nueve y cuarto de la noche; **7.** Una tienda de segunda mano está abierta, de lunes a viernes, desde las diez de la mañana hasta las dos y media del mediodía y desde las cinco de la tarde hasta las ocho y media de la tarde, los sábados abre de diez de la mañana a dos del mediodía; **8.** Un banco está abierto, de lunes a viernes, desde las ocho y media de la mañana hasta las dos y cuarto del mediodía; **9.** Una tienda de teléfonos y móviles está abierta todos los días, excepto los domingos, de diez de la mañana a dos del mediodía y, de lunes a viernes, desde las cinco de la tarde hasta las ocho y media de la tarde.

---

③ Informa: Tus horarios habituales

a. y b. Pide a tus estudiantes que trabajen en parejas, que añadan más actividades y que elaboren su horario semanal para que les sea más sencillo encontrar tiempo libre para quedar con el compañero. Como complemento, puedes pedirles que realicen la actividad 2 del cuaderno de ejercicios.

Paso 2 | Simula: Haz citas

Objetivos

- Que sean capaces de hablar de actividades cotidianas y de la frecuencia con la que las hacen habitualmente.
- Que conozcan los verbos reflexivos.
- Que aprendan a quedar en diferentes situaciones y registros.

---

① Aprende a hablar de actividades cotidianas

a. Tras hacer la actividad, puedes ampliarla preguntando si las actividades que practican lo hacen solo como afición y como forma de pasar el tiempo libre, si lo hacen como parte de su profesión o si asisten o han asistido a clases o cursos para mejorar. En este punto, pide que añadan más actividades o proponlas tú. Por ejemplo, hacer fotos, pintar, dibujar, pasear, hacer manualidades, escribir, jugar a videojuegos, etc.

b. y c. Forma parejas y pide que encuentren al compañero con quien tienen más aficiones en común (**b**) y pide que se sienten juntos para hacer y comentar la siguiente actividad (**c**) y ver si siguen compartiendo gustos y hábitos. Como complemento, puedes pedirles que realicen la actividad 6 del cuaderno de ejercicios.

d. y e. Pide que representen con gestos (o con dibujos en la pizarra) las acciones de **e**. Con estas estrategias les será más fácil –ya que las visualizarán– saber cuáles de los verbos son reflexivos. Como complemento, puedes pedirles que realicen las actividades 4 y 5 del cuaderno de ejercicios.

f. Pide a tus estudiantes que resuelvan la actividad en parejas. Si trabajas con *Meta ELE A1*, además, te proporcionamos las claves en un audio; ponlo después de que tus estudiantes hayan terminado de completar el texto. Como complemento, puedes pedirles que realicen la actividad 8 del cuaderno de ejercicios.

Soluciones: a. 1-n; 2-h; 3-b; 4-f; 5-j; 6-i; 7-l; 8-ñ; 9-k; 10-g; 11-r; 12-m; 13-o; 14-q; 15-p; 16-c; 17-d; 18-a; 19-e.

d. Levantarse: me levanto, te levantas, te levantás, se levanta, nos levantamos, os levantáis, se levantan; Ducharse: me ducho, te duchas, te duchás, se ducha, nos duchamos, os ducháis, se duchan.

e. Ver la televisión, ducha**rse** por la mañana, desayunar café y unas galletas, afeitar**se** con maquinilla eléctrica, lavar**se** las manos frecuentemente, comer en un restaurante. **f.** Soy una persona de costumbres. **Todos los días** me levanto a las seis de la mañana para ir a trabajar. Desayuno un café y, **a veces**, como unas galletas, pero otras, tostadas o un bollo. **Casi siempre** tomo el autobús y **nunca** llego tarde al trabajo. **Muchas veces** me quedo a comer en la oficina, si tengo mucho trabajo y, por la tarde, para relajarme, **a menudo** practico natación en la piscina. Cuando llego a casa, **en general** ceno ligero y **casi nunca** veo la tele porque me duermo antes de las 23:00.

---

(2) Aprende a quedar

a. y b. Pide que, primero, ordenen el diálogo y, luego, revisa con ellos el cuadro de *quedar*. Antes de entrar en la actividad **b**, realiza en clase el ejercicio 3 del cuaderno de ejercicios. Pide que, con la pareja con la que han hecho la actividad anterior simulen un diálogo (**b**) similar usando los recursos de la tabla de *quedar* y las aficiones que comparten gustos.

Soluciones: a. El orden del diálogo es: 1-4-3-7-2-8-6-9-5.

(3) Simula: Haz citas

Antes de proponer la actividad, propón una lluvia de ideas analizando las diferentes situaciones, las diferencias que puede haber en el registro en unas y otras (formal, informal, oral, escrito, con una persona, con un grupo...).

Paso 3 | Soluciona: Pon excusas

Objetivos

- Que sean capaces de hablar de actividades de tiempo libre y de los lugares donde se realizan.
- Que aprendan a quedar.
- Que sean capaces de proponer planes, aceptarlos, quedar para hacerlos o rechazarlos y poner excusas.

(1) Conoce actividades para pasar el tiempo

a. y b. Después de hacer la actividad, propón que cada uno defienda ante los compañeros la actividad que ha elegido precisamente como que es una pérdida de tiempo (**a**) como la actividad más divertida y, después, que hagan las simulaciones para quedar (**b**).

c. Como ampliación podéis elegir las tres situaciones más divertidas y hacer una representación en parejas o pequeños grupos. Como complemento, puedes pedirles que realicen las actividades 9 y 10 del cuaderno de ejercicios.

Soluciones: a. a-3-I; b-6-G; c-2-B; d-8-F; e-4-E; f-7-H; g-9-A; h-1-C; i-5-D e I.

(2) Aprende a poner excusas

Tras hacer las dos primeras actividades de contextualización y presentación de los recursos comunicativos para poner excusas (**a**), pasa a la parte de práctica mediante la simulación (**b**). Si trabajas con *Meta ELE A1*, dispones de una actividad complementaria de sensibilización sociolingüística: pon la audición y pide a tus estudiantes que traten de extraer la mayor cantidad de información posible (dónde están, quiénes son los interlocutores, cómo se rechazan los planes y cómo se debería hacer).

> **Soluciones: a.** 1-c; 2-f; 3-a; 4-e; 5-b; 6-d.

3 ─ (**Soluciona: Pon excusas**)

a. y **b.** Después de pedirles que imaginen qué piensa el personaje de la imagen de cada situación (**a**) y que reaccionen poniendo excusas y ofreciendo alternativas (**b**), pide a tus estudiantes que propongan otros planes aburridos o raros y que el compañero de la derecha reaccione rechazándolo, poniendo excusas y alternativas.

Paso 4 | Repasa y actúa: Organiza tu agenda

Objetivos

- Que repasen y practiquen todos los contenidos vistos en el módulo 3.
- Que sean capaces de integrarlos a fin de realizar con éxito una tarea final: organizar la agenda mensual.

En el paso 4 se propone una revisión de lo aprendido en los tres primeros pasos, así las actividades invitan a recordar y practicar los contenidos ya vistos y se da un paso más en algunos casos, por ejemplo:

4. Donde se amplía el léxico asociado con los verbos reflexivos de higiene personal.

Soluciones:	
1. a.	Todos los días, por la mañana, **me levanto** a las 7:30, **me afeito**, **me ducho**, **tomo** un café, **me lavo** los dientes y **me peino** antes de vestirme y de ir al trabajo.
b.	1-e; 2-d; 3-c; 4-a; 5-b.
2. a.	6:25, Son las seis y veinticinco de la mañana; 1:03, Es la una y tres de la noche/madrugada; 12:45, Es la una menos cuarto del mediodía; 8:15, Son las ocho y cuarto de la mañana; 10:00, Son las diez de la mañana; 00:35 Es la una menos veinticinco de la noche.
4.	1-Maquillaje, 3. maquillarse; 2-Jabón, 4. lavarse las manos; 3-Maquinilla de afeitar, 2. afeitarse; 4-Crema de afeitar, 2. afeitarse; 5-Cepillo, 6. cepillarse los dientes; 6-Pasta de dientes, 6. cepillarse los dientes; 7-Peine, 5. peinarse; 8-Gel, 1. ducharse.

Acción

En esta tarea tus estudiantes deben demostrar que han adquirido y asimilado los contenidos vistos a lo largo del módulo 3, utilizando el léxico aprendido y los recursos comunicativos para quedar, proponer planes, rechazarlos y proponer alternativas de actividades, fechas u horas.

> **Idea 2.0**
> **Planes para el fin de semana** *Guía del ocio*
>
> Propón, como ampliación o complemento de la acción final, que utilicen la *Guía del Ocio* para buscar algunas propuestas más de tiempo libre en la ciudad española donde están o en la ciudad que elijan y que gusten a los compañeros.
>
> *http://www.guiadelocio.es*

Familiarízate con una nueva gastronomía y forma de comer

Objetivos generales

- **Que aprendan los nombres de los alimentos.**
- **Que sean capaces de expresar sus gustos y preferencias sobre comidas y restaurantes.**
- **Que puedan desenvolverse en bares y restaurantes.**

El recorrido hacia la meta (acción):

Paso 1	Paso 2	Paso 3	Paso 4
▶ Conoce los nombres de los alimentos	▶ Aprende a expresar preferencias	▶ Descubre diferentes tipos de restaurantes y bares	▶ Repasa los contenidos de los pasos 1, 2 y 3
▶ Descubre el verbo «gustar»	▶ Descubre cómo actuar en el restaurante	▶ Aprende a enfrentarte a una carta de restaurante	**Acción**
▶ **Informa: Tu plato favorito**	▶ **Simula: Elige un menú**	▶ Fíjate en los recursos para controlar la comida	▶ Organiza una cena
		▶ **Soluciona: Ten cuidado con tu dieta**	

Paso previo

Si te parece adecuado, antes de entrar propiamente en materia, proyecta o presenta las seis fotos de platos típicos de la gastronomía española con las que se abre el módulo o presenta fotos de otros platos de la gastronomía de algún país hispano que conozcas bien. Pide a tus estudiantes que digan si reconocen alguno o algún ingrediente, si les parece apetitoso, etc. Te proporcionamos algunos datos de esos platos por si te sirven de ayuda:

- El potaje es un plato típico de Cuaresma, que se come tradicionalmente los viernes de los cuarenta días antes de Semana Santa, ya que no tiene carne. Sus ingredientes son: garbanzos, espinacas, bacalao desalado y huevo duro.

- El pisto es un plato tradicional de La Mancha, una de las regiones españolas, hoy parte de la Comunicad Autónoma de Castilla – La Mancha. Son verduras fritas (cebolla, pimiento verde, calabacín, patata –todo ello cortado en cuadraditos pequeños– y salsa de tomate frito) que se suelen acompañar con un huevo frito.

- El panaché o la menestra es un plato de verduras cocidas y, después, sofritas con aceite y cebolla. Dependiendo de la época del año, lleva unas verduras u otras, aunque suele llevar siempre zanahoria y judía verde.

- El marmitako es un plato tradicional de los pescadores del País Vasco. Sus ingredientes son: patatas, pimiento rojo, bonito o atún fresco y un poco de tomate, todo ello cocido.

- El gazpacho es originario de Andalucía y consiste en una sopa fría de tomate. Sus ingredientes son: tomate, cebolla, pimiento verde, pepino, ajo, aceite, vinagre y sal. Todas las verduras están crudas y trituradas.

- Callos a la madrileña es un plato de tripas de vaca cocidas con chorizo, morcilla y guindilla o chile. Es típico de la ciudad de Madrid.

Paso 1 | Informa: Tu plato favorito

Objetivos

- Que aprendan los nombres de los alimentos básicos y sus categorías.
- Que conozcan los alimentos típicos de cada parte de España.
- Que sean capaces de expresar sus gustos y de reaccionar ante los gustos de otros expresando acuerdo o desacuerdo.
- Que sean capaces de hablar de su plato favorito.

 Conoce los nombres de los alimentos

a. Antes de leer el texto, dirige la atención de tus estudiantes en el mapa, pide que te digan las ciudades que conocen y su ubicación, pregunta cuáles son las fronteras y los mares, habla de alguna diferencia muy básica del clima, etc. Todo este trabajo servirá para contextualizar, para enriquecer el contenido y para facilitar la comprensión del texto *España, un gran supermercado.*

Durante la lectura del texto (pide que cada estudiante lea un párrafo), pide que vayan identificando los alimentos señalados en rojo con su imagen en el mapa. Propón que utilicen la estrategia que prefieran: escribir la traducción en su idioma junto a la palabra en español, relacionar con una flecha los alimentos con las fotos y/o escribir el nombre de cada alimento en español debajo de su imagen correspondiente en el mapa.

b. y **c.** Aclara el significado de las categorías de la tabla (carnes, frutas, verduras, lácteos, huevos, pescados, mariscos, otros) y pide que ubiquen los alimentos de **a** en la tabla de **b**. A continuación, deja unos minutos para que tus estudiantes miren las fotos y las palabras (**c**) y soluciona las dudas que les puedan surgir. Propón una lluvia de ideas y añade los alimentos que digan tus estudiantes o que necesiten saber.

d. Organiza la clase, para esta actividad, como consideres adecuado según las características de tu clase: individualmente (si cada estudiante es de una nacionalidad diferente) o en parejas o pequeños grupos (si tienes varios tus estudiantes de cada país o región). Como complemento, puedes pedirles que realicen las actividades 1, 2 y 3 del cuaderno de ejercicios.

> **Soluciones: b.** y **c.** Carnes: cerdo, pollo, ternera, jamón; Frutas y verduras: pimientos, espárragos, alcachofas, lechugas, pepinos, fresas, plátanos, limones, cerezas, peras, aceitunas, cebolla, naranja, tomate, manzana, patata, plátano; Lácteos y huevos: queso, huevo, leche, mantequilla, yogur; Pescado y mariscos: pulpo, boquerones, merluza, sardinas, gambas, atún, salmón; Otros: pan, mermelada, pasta.

 2 ⟨ **Descubre el verbo «gustar»** ⟩

a., b. y **c.** Con esta audición pasamos temáticamente de los alimentos a los platos cocinados e introducimos el elemento cultural, pero, además, nos sirve para introducir el verbo *gustar*. Primero, explica qué son las tapas (las tapas es una costumbre española que se realiza en los bares: al tomar una consumición, una bebida, te ponen un pequeña ración de comida, la tapa, que en general se suele compartir, es decir, es para los que estáis juntos; en la mayoría de las zonas de España la tapa es gratis, va con la consumición, y en otras zonas, especialmente en el País Vasco y Navarra, se llaman *pintxos*). Luego, haz un recorrido por las fotos y aclara las dudas de tus estudiantes (ingredientes de las tapas: el melón con jamón solo lleva eso, melón y jamón; las patatas bravas son patatas, unas veces fritas y otras, las menos, cocidas con una salsa picante, a veces con salsa de tomate y otras también con mayonesa; la paella es un plato de arroz con verduras, pescado y, a veces, también con pollo; la ensaladilla se hace con mucha patata y poca zanahoria cocida, atún, guisantes, espárragos blancos y salsa de mayonesa; la tortilla de patata se hace con patatas fritas y huevo, a veces también con un poco de cebolla frita; los boquerones son los pescados rebozados en harina y fritos en aceite de oliva). Puedes hacer referencia al mapa de **1a**. Pon el audio una vez para que tus estudiantes identifiquen los gustos de la chica que cuenta su experiencia gastronómica por España (**a**) y pregunta si han probado alguna de estas comidas españolas, en qué lugar de España lo han comido o si lo han comido en sus países en algún restaurante español o feria gastronómica. Propón una segunda audición para fijar la atención en la forma del verbo *gustar* (**b**). Ahora es el momento de comprobar que han entendido la forma de este verbo nuevo (**c**). Propón que hagan el ejercicio de forma individual, que lo comparen después con su compañero de mesa y, finalmente, corrige y aclara en el pleno.

> 🔊 **Transcripción del audio:**
>
> Una de las razones para viajar a España es la cultura y, especialmente, la gastronomía. Me gusta mucho la comida española y me gustan mucho las tapas. Son pequeñas raciones. Por ejemplo, en muchos bares los domingos dan una tapa de paella gratis con tu bebida. Cocinan muchas tapas fritas, como boquerones, y no me gustan mucho. Yo prefiero la comida sana, como la fruta. Aquí se come algo muy rico, el melón con jamón, está muy bueno. La tortilla de patata, el plato nacional, es mi plato favorito... ¡y es muy fácil de preparar!

d. Puedes usar la técnica de la bola de nieve para hacer esta actividad: pide que, individualmente, elaboren la lista de comidas que les gustan y que no les gustan; en un segundo momento, propón que intercambien opiniones con un compañero, trabajando unos minutos en pareja; posteriormente, une dos parejas y pide que repitan el intercambio en grupos de cuatro; finalmente, en plenaria, cada uno dirá con qué compañero cree que tiene más afinidad. Como complemento, puedes pedirles que realicen las actividades 4, 5 y 6 del cuaderno de ejercicios.

> **Soluciones: a.** Habla, por orden, de c, g, a, f.

c. 1. A mi madre y a mí **nos** gusta la gastronomía española; **2.** ¿Te **gusta** comer tapas?; **3.** A Pedro **le** gusta cocinar; **4. A los niños les** gusta la tortilla de patata; **5.** A nosotros nos **gusta** el gazpacho; **6.** A ellos **les** gustan los helados.

(3) Informa: Tu plato favorito

a. y **b.** Puedes ampliar esta actividad pidiendo a tus estudiantes que elijan un plato típico de la gastronomía de su país, de su región, de su ciudad y que te envíen por correo electrónico una ficha con las características del plato, como el modelo que se presenta en la página, para explicar su plato favorito a fin de ir elaborando un recetario básico de comidas del mundo (que puede tener forma de libro, de *ebook*, de *blog*, etc.).

Paso 2 | Simula: Elige un menú

Objetivos

- Que sean capaces de expresar sus preferencias sobre bares y restaurantes.
- Que aprendan a desenvolverse con éxito en un restaurante en la conversación con el camarero.

(1) Aprende a expresar tus preferencias

a. y **b.** Con esta primera secuencia de actividades tus estudiantes conseguirán adquirir los recursos para expresar sus preferencias en cuanto a restaurantes para cada ocasión y en función de las comidas. Puedes ampliar la secuencia con preguntas más concretas sobre los lugares preferidos: cuál es la especialidad en los lugares que les gustan, por qué eligen uno y no otro tipo de restaurante según para qué evento, etc. Si te parece oportuno, aclárales que en español *menú* implica una selección de platos cerrada y con precio fijo, que si quieren elegir distintitos platos, la palabra no es *menú* sino *carta*. Aclárales también que tradicionalmente una comida completa en español (un menú completo) se compone de primer plato (verdura, pasta, sopa…), un segundo plato (carne, pescado o un plato fuerte) y postre (fruta o dulce).

> **Soluciones: a.** 1-Menú 4; 2-Menú 5; 3-Menú 1; 4-Menú 3; 5-menú 2; 6-Menú 6.

(2) Descubre cómo actuar en el restaurante

a., b. y **c.** Esta secuencia persigue que tus estudiantes aprendan los recursos comunicativos para desenvolverse en el restaurante. Para ello, se propone trabajar dos situaciones (de forma oral y escrita, **a**). Propón que, para profundizar, por parejas, continúen el segundo diálogo de **a**. Posteriormente, por medio de preguntas de comprensión e interpretación (**b**) y de la actividad de ordenar la conversación (**c**), aprovecha para ir sistematizando, junto a tus estudiantes, los recursos comunicativos que han aparecido en los diálogos para cada función. Puedes proyectar o dibujar en la pizarra un mapa mental de este tipo e ir completándolo con los recursos comunicativos correspondientes:

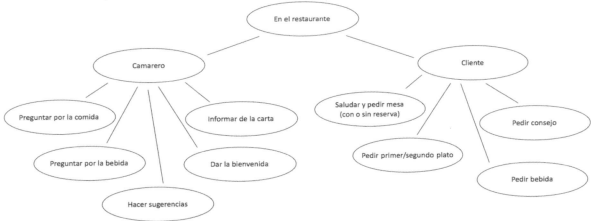

> **Soluciones:** **a.** (Diálogo 1) quiero, prefiere, pido; (Diálogo 2) quieren, recomienda, probamos.
> **b. 1.** En el diálogo 1 en la foto b y en el diálogo 2 en la foto a; **2.** Él pide gazpacho y salmón a la plancha y ella pide ternera; **3.** C; **4.** En el diálogo 1, agua sin gas, en el diálogo 2, dos refrescos; **5.** Pinchos morunos.
> **c.** El orden de los turnos de habla es: 1-7-11-5-8-14-2-6-3-13-4-12-9-10.

Como complemento, puedes pedirles que realicen las actividades 7 y 8 del cuaderno de ejercicios.

 3 ⟨ **Simula: Elige un menú** ⟩

El trabajo propuesto más arriba será de gran utilidad para el desarrollo de esta actividad. Antes de empezar, explica el tipo de restaurante en el que se tiene que desarrollar la simulación y, después, propón otras simulaciones en otros tipos de establecimientos. Para ello, puedes pedir a cada pareja de tus estudiantes que preparen las tarjetas de Camarero y Cliente para otra pareja.

Paso 3 | Soluciona: Ten cuidado con tu dieta

Objetivos

- Que conozcan los tipos de restaurante y los hábitos de los españoles en relación a ellos.
- Que aprendan a manejarse con la carta de un restaurante.
- Que sean capaces de solucionar los posibles problemas relacionados con sus hábitos alimenticios: gustos, alergias, enfermedades, etc.

1 ⟨ **Descubre diferentes tipos de restaurantes y bares** ⟩

a. y b. La lectura del texto (**a**) y las preguntas de comprensión (**b**) tienen como finalidad que conozcan los hábitos de los españoles, por lo que puedes proponer que los comparen con los hábitos de sus países: *¿se come fuera de casa normalmente?, ¿existen los restaurantes de menú del día?, ¿hay más costumbre de comida para llevar?, ¿se come en el trabajo la comida que te llevas de casa?, ¿cuándo se come o se cena fuera de casa en restaurantes a la carta?, ¿hay algún tipo de restaurante propio de tu país como en España existen los bares de tapas?* Puedes proponer estas preguntas y comentarlas con el grupo o pedirles que escriban un texto como el de **a** sobre sus países. Como complemento, puedes pedirles que realicen la actividad 10 del cuaderno de ejercicios.

Soluciones: b. 1. El restaurante de menú del día; **2.** El bar de tapas; **3.** El restaurante a la carta; **4.** En cualquiera de los tres; **5.** El restaurante de menú del día, porque está pensado para comer rápido y poder seguir trabajando.

 2 ⟨ **Aprende a enfrentarte a una carta de un restaurante** ⟩

a. y b. Esta secuencia propone un trabajo de comprensión e interpretación y, al mismo tiempo, un trabajo estratégico que ayudará a tus estudiantes a que, fuera del aula, sepan buscar lo que quieren en el menú. No se trata, ni mucho menos, que aprendan el vocabulario que hay en la carta del restaurante, sería imposible. Se trata de que descubran recursos para manejarse en una carta auténtica, en la que desconocen muchísimas palabras y, para poder pedir lo que quieren comer, tendrán que hacer preguntas al camarero. Por eso, en la carta elegida, hay muchos alimentos que no son comunes a todo el mundo hispano (la *vieja* o la *sama* son pescados que solo se conocen y se comen en Canarias; las *puntillitas* son unos calamares pequeños que se comen en Andalucía, pero no en el norte, etc.). Por el mismo motivo, se ha elegido esta carta porque presenta una diversidad de alimentos que permitirá al alumno desarrollar estrategias para tomar decisiones de qué come y qué no (hay un plato de cerdo, por ejemplo, para que sepa identificarlo por si no come cerdo por su religión; hay platos de marisco por si es alérgico, para que sepa preguntar por ello, etc.). En la misma audición, un nativo pregunta por los platos, que desconoce aun siendo nativo, y presenta los recursos que necesita el alumno.

Soluciones: a. (Hay varias respuestas posibles, te indicamos todas) **1.** Tortilla española, tortilla española con gambas, revuelto de gambas con champiñones, filete de pescado rebozado o pechuga empanada; **2.** Tortilla española con gambas, gambas al ajillo, revuelto de gambas con champiñones, cazuela de champiñones y gambas, *cocktail* de gambas o paella; **3.** Pan al ajillo, champiñones al ajillo o gambas al ajillo; **4.** a. Lomo de cerdo a la plancha; b. *Carpaccio* de ternera o chuletón de ternera; c. Pechuga empanada o a la plancha; d. Puntillitas de calamar, calamares a la plancha, calamares a la romana, pescado frito o cocido, filete de pescado a la plancha, filete de pescado rebozado, atún a la plancha, vieja o sama a la espalda, pescado a la sal, gallegada de pescado, caldo de pescado o caldo de pescado de sama.

b. Vieja a la espalda, puntillitas de calamar, sopa del día y paella.

Transcripción del audio:

- ¿Qué es la vieja?
- Es un pescado.
- ¿Y a la espalda?
- Al horno con ajo.
- ¿Qué son puntillitas?
- Unos calamares pequeños fritos.
- ¿Cuál es la sopa del día?
- Hoy tenemos sopa de tomate.
- ¿Y lleva cebolla?
- No, no.
- ¿Lleva marisco la paella?
- Sí, marisco y pollo.

Idea 2.0
La carta de mi restaurante Maquea

Maquea es un servicio de plantillas para imprimir con el que puedes diseñar, a partir de varios modelos, diversos documentos para encargar la posterior impresión digital. Pero tiene una cualidad muy interesante: permite descargar gratuitamente en PDF la muestra para asegurarnos de que el resultado es el que queremos. Y esta es la opción que podemos utilizar nosotros con fines didácticos. Entramos en http://www.maquea.com/Cartas-de-Menu.html y accederemos a varias opciones: cartas de menú en díptico, cartas de menú sencillas, carteles para precios y, dentro de cada una, varios formatos que podemos editar con la información de nuestro establecimiento que vamos a simular. Podemos usar esta herramienta para llevar al aula un menú elaborado por nosotros mismos (con las variedades de la ciudad o país donde nos encontremos) o proponer a tus estudiantes el proyecto de crear un restaurante (verás que hay que incluir el nombre del local en la plantilla) y su carta. Propón que sean creativos a la hora de confeccionarla y usen los nombres de tus estudiantes para denominar los platos, por ejemplo.

http://www.maquea.com

3 ⸺ (**Fíjate en los recursos para controlar la comida**)

a. Antes de hacer esta secuencia, retoma preguntando a la clase si recuerdan los alimentos que no les gustan a cada uno de tus estudiantes. Amplía –y anticipa– preguntando si tienen alguna alergia o intolerancia a algún alimento, si tienen algún problema en los restaurantes cuando van a comer, etc. De este modo estarás contextualizando, por una parte, y revelando los objetivos y la utilidad de lo que vas a proponer. A continuación, propón la actividad **a**.

b. Propón ahora una actividad de simulación en un restaurante, entre un camarero y un cliente, para que utilicen las expresiones aprendidas en cada caso. Si te parece oportuno, aclara la diferencia que hay en español entre *bocadillo* y *sándwich* (este último hecho con pan de molde cuadrado y aquel, con pan normal). Como complemento, puedes pedirles que realicen la actividad 11 del cuaderno de ejercicios.

> **Soluciones: a.** 1-f; 2-b; 3-d; 4-e; 5-a; 6-c.

4 ⸺ (**Soluciona: Ten cuidado con tu dieta**)

a. y b. Parte, como siempre, de un análisis exhaustivo de la imagen: fíjate en la expresión del camarero, *¿qué crees que está pensando?*; observa la cara del cliente, *¿qué indica?, ¿tiene algún indicio de reacción alérgica?; ¿qué parece que está comiendo?*; etc. Una vez hecho esto, aclara el significado de las expresiones del cuadro y pide a tus estudiantes que hagan hipótesis sobre lo que creen que ocurre en la escena (**a**). Ahora, organiza la clase en parejas para realizar la parte **b** y la puesta en común e intercambio de opiniones.

Objetivos

- Que repasen y practiquen todos los contenidos vistos en el módulo 4.
- Que sean capaces de integrarlos para realizar con éxito una tarea final: organizar una cena.

En el paso 4 se propone una revisión de lo aprendido en los tres primeros pasos, así las actividades invitan a recordar y practicar los contenidos ya vistos y se da un paso más en algunos casos, por ejemplo:

2. Donde se presentan los intensificadores de la expresión del gusto.

3. Donde se presentan las formas de pago más habituales.

5. Donde se presentan los pesos, las medidas y algunas formas de empaquetado y envasado de productos.

Soluciones: **1. a. 1.** A Pedro **le gustan** los helados de chocolate; **2.** A vosotros **os gustan** los espectáculos de flamenco; **3.** A Cristina y a Javier **les gusta** comer en restaurantes; **4.** A mí no **me gusta** el frío; **5.** A nosotros **nos gustan** los churros con chocolate.

2. a. 1. El calamar; **2.** El café; **3.** Los espárragos; **4.** Las fresas; **5.** Las gambas; **6.** El arroz.

3. a. 1. ¿Cuánto es?; **2.** ¿En efectivo o con tarjeta?; **3.** La cuenta, por favor.

b. 1. La cuenta, por favor; **2.** ¿Cuánto cuesta un kilo de tomates?/¿A cuánto está el kilo de tomates?; **3.** ¿Puedo pagar con tarjeta?; **4.** ¿Admiten Visa o American Express?

4.a. Prefiero, prefieres, preferís, prefiere, preferimos, preferís, prefieren.

5.a. 1. filetes de pollo; **2.** botellas de leche; **3.** latas de atún; **4.** manzanas; **5.** tomates; **6.** azúcar.

b. 1. Dos botes de refrescos; **2.** Una docena de huevos; **3.** Una tarrina de mantequilla; **4.** Dos bolsas de patatas fritas; **5.** Un paquete de galletas; **6.** Una tableta de chocolate; **7.** Dos o tres barras de pan; **8.** Seis cartones de leche; **9.** Dos o tres latas de atún o sardinas.

Transcripción de los dos audios:

1

- Señores clientes, durante esta semana el pollo, a 3,20 euros el kilo.
- Les informamos de que solo hoy la leche Sol está a 0,47 euros el litro.
- Atención, oferta especial en atún: seis latas de 90 gramos, a 2,99 euros.
- Oferta en la sección de frutería: el kilo de manzanas, a solo 0,99 euros.
- Promoción de esta mañana, un kilo de tomates por 1,08 euros.
- Señores clientes, oferta especial: el kilo de azúcar, a 0,60 euros.

2

- Vamos a ver qué hay en el frigorífico. Dos botes de mermelada de naranja, dos botellas de agua. Pero necesitamos dos botellas de refrescos. ¿Qué más? Una docena de huevos. ¿No hay mantequilla? Tengo que comprar una tarrina de mantequilla.
- Mamá, ¿compramos patatas fritas?
- Sí, dos bolsas de patatas fritas, un paquete de galletas y una tableta de chocolate. Dos o tres barras de pan también y seis cartones de leche... ah, y dos o tres latas de anchoas o sardinas.

Acción

En esta tarea, tus estudiantes deben demostrar que han adquirido y asimilado los contenidos vistos a lo largo del módulo 4, utilizando el léxico aprendido y los recursos comunicativos para conseguir información sobre gustos y preferencias sobre los alimentos y particularidades de la dieta de los compañeros, para elaborar el menú de la cena y para explicar lugar, sitio y motivo del acontecimiento.

Idea 2.0
La carta de mi restaurante Carritus

Como un paso más dentro de la Acción final, se propone a tus estudiantes que una vez decidido el menú, se prepare la lista de la compra y se utilice Carritus para saber cuánto va a costar y en qué supermercado es más económico realizar la compra. De este modo, se utiliza el léxico en un contexto real y se accede a información cultural: los supermercados en España. Es interesante explorar en las posibilidades de la herramienta y encontraremos la sección Recetas y menús (con una sugerencia cada día y un banco de recetas ordenadas por categorías) y un planificador de menús para hasta 4 semanas (acceso desde la parte inferior de la página principal).

http://www.carritus.com

Módulo 5

Habla de la gente que conoces

- **Que tus estudiantes aprendan a describir e identificar personas por sus características físicas y su carácter.**
- **Que sean capaces de hablar de la familia: relaciones de parentesco y estado civil.**
- **Que sean capaces de expresar su opinión sobre el carácter de las personas.**

El recorrido hacia la meta (acción):

Paso 1	Paso 2	Paso 3	Paso 4
▶ Aprende a describir personas	▶ Descubre cómo se usan los dos apellidos	▶ Descubre los adjetivos de carácter	▶ Repasa los contenidos de los pasos 1, 2 y 3
▶ Aprende a identificar personas	▶ Conoce las palabras para hablar de la familia	▶ Aprende a expresar tu opinión	**Acción**
▶ **Soluciona: Identifica a quien buscas**	▶ Aprende a presentar a los miembros de la familia	▶ **Informa: Tu ídolo**	▶ Mi intercambio
	▶ Fíjate cómo decir el estado civil		
	▶ **Simula: Presenta tu familia**		

Paso previo

Si te parece adecuado, antes de entrar propiamente en materia, proyecta o presenta las ocho fotos de los personajes hispanos famosos con los que se abre el módulo o presenta fotos de otros. Pide a tus estudiantes que digan si reconocen a alguno y cómo son. Te proporcionamos algunos datos de esos personajes por si te sirven de ayuda:

- Rafa Nadal, tenista español.
- Penélope Cruz, actriz española.
- Jennifer López, cantante y actriz estadounidense de origen puertorriqueño.
- David Bisbal, cantante español.
- Antonio Banderas, actor español afincado en Los Ángeles (EE. UU.).
- Ricky Martin, cantante puertorriqueño.
- Pedro Almodóvar, director de cine español.
- Alejandro Sanz, cantante español.

Paso 1 | Soluciona: Identifica a quien buscas

Objetivos

- Que sean capaces de describir físicamente a las personas hablando de su complexión física, el tipo y el color de pelo, el color de ojos y otras cualidades.
- Que puedan identificar a una persona entre un grupo por sus características físicas.
- Que sean capaces de indicar la distancia de una persona o cosa respecto al hablante.

1 Aprende a describir personas

a. y b. La combinación de los breves titulares de revistas y las fotografías de **a** permitirá a tus estudiantes completar la tabla de **b** con la sistematización del léxico y los verbos que se usan para hablar de las diferentes características físicas de las personas. Una vez realizada esta secuencia de actividades, propón a tus estudiantes una lluvia de ideas de personajes famosos que se correspondan con las definiciones que tú les des, en primer lugar, y que ellos mismos den (cada uno a su compañero de mesa), en un segundo momento. Por ejemplo, moreno y bajo (podría ser Antonio Banderas), pelirroja y alta (podría ser Julia Roberts), alto, delgado y moreno (podría ser Cristiano Ronaldo), rubia con los ojos verdes (podría ser Scarlett Johansson), y así sucesivamente.

2 — Aprende a identificar personas

Fija la atención del grupo en las fotos y pide que indiquen uno o más rasgos físicos de cada persona. Pregunta, antes de pasar a completar los diálogos, cómo se imaginan la situación: *¿están en el sofá viendo un álbum de fotos?, ¿están delante del ordenador viendo fotos en Facebook o en el mismo ordenador?* Pídeles que en parejas completen los diálogos. Si trabajas con *Meta ELE A1,* dispones además de los diálogos en un audio. Ponlo para comprobar y para que identifiquen a qué foto corresponde cada uno.

Para que les quede más claro el significado de los demostrativos, puedes escribir en la pizarra o señalar sobre la proyección del libro, con diferentes colores, la información que en cada frase está incluida en cada demostrativo.

Por ejemplo, *Las chicas que están ahí son italianas.* → *Estas chicas son italianas.* Es decir, **estas** incluye tres significados: la distancia al hablante (ahí), el género (femenino) y el número (plural) de la persona.

Pide que tus estudiantes completen las cuatro frases de este modo, usando un código de colores. Esta estrategia de aprendizaje les será muy útil para la asimilación del contenido gramatical. Como complemento, puedes pedirles que realicen las actividades 1 y 2 del cuaderno de ejercicios.

3 — Soluciona: Identifica a quien buscas

a. y **b.** Tus estudiantes se darán cuenta de que es imposible saber cuál de los chicos responde a la descripción de la cita a ciegas (**a**). Por ello, deberán aportar más información sobre nuestro personaje (el de la chaqueta roja y corbata, ya que vemos que también está en actitud de búsqueda de la chica) en **b**.

c. Puedes proponer que cada estudiante escriba la descripción en un papel, luego las recoges y las vas leyendo una a una para que los compañeros averigüen a quien corresponde cada una.

Paso 2 | Simula: Presenta tu familia

Objetivos

- Que conozcan el vocabulario para hablar de las relaciones de parentesco y los estados civiles.
- Que aprendan a indicar la relación de posesión y pertenencia.
- Que sean capaces de hablar de su familia.

1 — Descubre cómo se usan los dos apellidos

a. Los documentos ayudarán a tus estudiantes a reconocer la composición de los nombres en español: nombre y dos apellidos. Puedes hacer hincapié en el primer documento, el DNI (Documento Nacional de Identidad o el carné de identificación personal español), y apoyarte en la presentación gráfica de sus características que hay en la página web del Ministerio del Interior: **http://www.dnie-lectronico.es/Asi_es_el_dni_electronico/presen_graf.html.** Pregunta a tus estudiantes qué información incluye el documento de identidad de su país.

b. Lo aprendido en **a** debe servir a tus estudiantes para completar el árbol genealógico. Para ello, deberán comenzar por los hijos e ir subiendo hasta los abuelos.

Transcripción del audio:

Mónica: Mira, te voy a presentar a mi familia. ¡Mamá! Este es Carlos.

Marta: Hola, Carlos, soy Marta, la madre de Mónica.

Carlos: Encantado.

Mónica: ¡Abuelo! (a Carlos) Es mi abuelo, el padre de mi padre.

Miguel: ¿Qué? ¡Ah, hola!

Carlos: Hola, encantado.

Mónica: Es Carlos, mi compañero de la escuela.

Miguel: Encantado, yo soy el abuelo de Mónica, me llamo Miguel, y el pequeño, Luis, es mi otro nieto.

Carlos: ¡Hola, Luis!

Luis: ¿Eres el novio de mi hermana?

Miguel: ¡¡¡Luis!!!

Mónica: Carlos, él es mi padre.

Pedro: Hola, Carlos, soy Pedro, encantado.

Carlos: Igualmente.

Mónica: Mi abuela Carmen no está aquí. Está en Madrid...

2 — Conoce las palabras para hablar de la familia

a. y **b.** Esta secuencia llevará a tus estudiantes a fijar las relaciones de parentesco ya indicadas en la secuencia 1 y servirá de transición hacia la secuencia 3 en la que se ampliará el léxico de las relaciones familiares y se presentarán los posesivos. Como complemento, puedes pedirles que realicen las actividades 4 y 5 del cuaderno de ejercicios.

Soluciones: a. El abuelo, Miguel Sains Pérez; la abuela, Carmen Ruiz García; el padre, Pedro Sains Ruiz; la madre, Marta Macías Bernabé; la hija, Mónica Sains Macías; el hijo, Luis Sains Macías.

b. 1. Carmen es la abuela de Mónica; **2.** Pedro es el padre de Mónica y Luis; **3.** Luis es el hermano de Mónica; **4.** Marta es la madre de Mónica y Luis; **5.** Miguel es el abuelo de Mónica; **6.** Carmen en la madre de Pedro.

3 — Aprende a presentar a los miembros de la familia

El propósito de esta actividad es que tus estudiantes aprendan los posesivos mediante su utilización en ambos textos en los que, además, deberán hacer un ejercicio de reflexión para extraer el léxico del resto de relaciones de parentesco: tío/a(s), sobrino/a(s), primo/a(s), nieto/a(s), cuñado/a(s), marido/mujer. Asegúrate de que se comprende ese vocabulario con una puesta en común. Como complemento, puedes pedirles que realicen las actividades 5 y 6 del cuaderno de ejercicios.

Soluciones: El resto de mi familia es muy simpática también. **Mi** tío Alejandro (el hermano de mi madre) es muy divertido. Es profesor y tiene mucha energía. **Su** mujer (**mi** tía Alicia) trabaja en un hospital. **Sus** hijos son muy pequeños: **mi** primo Marcos tiene 4 años y **su** hermana Cristina solo tiene 2 años. **Mis** abuelos están muy contentos porque tienen dos nietos muy guapos y preciosos.

Alejandro (el marido de **mi** tía Alicia) es el único cuñado de **mi** padre y Marcos y Cristina son **sus** únicos sobrinos. **Mi** padre tiene dos hermanas: **mis** tías Lucía y Paula. No tienen hijos ahora, pero mi tía Lucía está embarazada y en unos meses **mis** padres esperan a **su** nuevo sobrino (¡es un niño!) y **mi** hermano Luis y yo a **nuestro** nuevo primo. **Nuestra** familia no es muy grande, pero poco a poco esperamos a nuevos miembros.

4 — Fíjate cómo decir el estado civil

a. y **b.** Pide que se fijen en las fotos y que extraigan la mayor cantidad de información a partir de los detalles: la ropa de Rafa y Eva marca la diferencia con la de Adán y Ana, la expresión de la cara de Bea y José es lo que les distingue de Adán y Ana, Juana llorosa y Fernando solo... A partir de ahí, propón que se fijen en las expresiones del cuadro (**a**) e informen del estado civil de las personas de su familia (**b**).

Soluciones: a. a. Fernando está soltero; **b.** Juana está viuda; **c.** Adán y Eva son novios; **d.** Bea y José están divorciados; **e.** Rafa y Eva están casados.

5 — Simula: Presenta tu familia

a. y **b.** Esta actividad se propone a modo de concurso, ya que cada pareja deberá organizarse para extraer la mayor cantidad de información del compañero a fin de presentar del modo más completo posible la familia del compañero.

> **Idea 2.0**
> **El árbol genealógico** My heritage
>
> My Heritage es un servicio gratuito, privado y seguro que permite crear el árbol genealógico familiar. Solo es necesario ir incluyendo los datos personales: nombres, apellidos y sexo y la herramienta irá creando el árbol genealógico. Se le pueden añadir fotos y permite compartir los árboles genealógicos con otras personas. Puede ser un modo interesante de complementar la actividad 5.
>
> *http://www.myheritage.es*

Paso 3 | Informa: Tu ídolo

Objetivos

- Que aprendan cómo hablar del carácter de una persona.
- Que sean capaces de diferenciar entre el carácter y el estado de una persona.
- Que sean capaces de opinar y argumentar la elección de una persona con la que compartir piso en función de sus cualidades.
- Que puedan hablar de su opinión y de su relación con personas.
- Que sean capaces de informar sobre una persona a la que admiran.

1 — Descubre los adjetivos de carácter

a. Tras hacer esta primera actividad (**a**) del bloque, pide a la clase que te digan el nombre de algunas personas conocidas que correspondan a los adjetivos vistos y aprovecha así para introducir la forma de preguntar por el carácter: *¿cómo es tu hermano?, ¿cómo son tus padres?*

b. y **c.** La propuesta de ampliación que hemos hecho para la actividad **a** puede servir de referencia para hacer **b** en parejas: la sistematización del contenido gramatical a partir ejemplos. A su vez, **b** les llevará a adquirir los conocimientos necesarios para hacer con éxito **c**. Como complemento, puedes pedirles que realicen las actividades 3, 7 y 8 del cuaderno de ejercicios

> **Soluciones:** **a.** **1.** Alegre; **2.** Antipática; **3.** Tranquila; **4.** Simpático; **5.** Triste; **6.** Nervioso; **7.** Seria.
>
> **c.** ¿Tienes un chicle?/Sí, aquí tienes./Gracias. Es que **estoy** muy nervioso por el examen; **Estás** muy guapa con ese vestido./No, no... ¡qué va! El vestido **es** un poco antiguo; ¡Pablo! ¡Silencio, por favor!/¡Perdón!/¿Qué pasa hoy? Tú **eres** muy tranquilo, pero hoy **estás** un poco nervioso, ¿no?/El jefe hoy **está** muy preocupado. Seguro que hay un problema./¿Por qué?/Hombre, la verdad es que normalmente no **es** muy simpático, pero hoy **está** especialmente antipático.

2 — Aprende a expresar tu opinión

a. y **b.** La actividad de comprensión auditiva (**a**), que puedes poner dos veces para que tus estudiantes saquen todos los datos necesarios, aportará la información suficiente para la discusión en grupo sobre el carácter de los candidatos y la idoneidad de elegir a uno u otro. Es fundamental que la negociación concluya en una toma de decisión acordada entre todos. El objetivo es decidir quién es el mejor candidato, no solo exponer opiniones.

 Transcripción del audio:

Hola, me llamo Pablo. Soy de México y necesito una habitación. Tengo 37 años y soy comercial. Estoy poco tiempo en la ciudad porque viajo mucho y tengo mucho trabajo... y a veces tengo estrés por eso. Soy ordenado y amable.

Buenas tardes. Soy Ana y busco una habitación en la ciudad. Tengo 21 años, estudio en la universidad para ser profesora. Por las mañanas estoy siempre en la universidad, por las tardes en la biblioteca y por las noches en mi habitación en Internet. Soy muy independiente. Cocino muy bien, pero nunca tengo tiempo porque estoy muy ocupada.

Hola, me llamo Bea. Soy nueva en la ciudad y necesito una habitación. Soy sociable, abierta y divertida. Trabajo por las noches en una radio y por las mañanas estoy dormida. Necesito silencio por las mañanas. Los fines de semana voy a mi pueblo para visitar a mi familia.

> Hola. Me llamo Juan. Soy estudiante. Soy reservado y serio..., pero muy trabajador. No tengo problemas para cocinar, para limpiar y para organizar el trabajo de la casa. Escucho música clásica mientras trabajo.

c. Podéis hablar del carácter de las personas que conocéis (familiares, amigos, compañeros...), pero también podéis expresar vuestra opinión sobre personas públicas o cómo es vuestra relación con aquellos a quienes no conocéis mucho, pero con quienes os relacionáis. Para ello, **c** propone un grupo de personas del ámbito más próximo a tus estudiantes (que puedes ampliar: tu pareja, tu compañero de trabajo, tu vecino...) y otros personajes famosos (al que igualmente puedes añadir otros del interés de tus estudiantes o de actualidad (Messi, Jennifer López...). Como complemento, puedes pedirles que realicen las actividades 9 y 10 del cuaderno de ejercicios.

Informa: Tu ídolo

Con esta actividad recogemos todo lo aprendido en el paso 3 e invitamos a tus estudiantes a que lo utilice hablando de alguien de quien sabe cosas y sobre el que le interesa hablar por el un gusto o motivo personal.

Paso 4 | Repasa y actúa: Elige un intercambio

Objetivos

- Que repasen y practiquen todos los contenidos vistos en el módulo 5.
- Que sean capaces de integrarlos para realizar con éxito una tarea final: rellenar un formulario buscando compañero para un intercambio de idiomas.

En el paso 4 se propone una revisión de lo aprendido en los tres primeros pasos, así las actividades invitan a recordar y practicar los contenidos ya vistos y se da un paso más en algunos casos, por ejemplo:

2.b. Donde se presentan los pronombres demostrativos: *esto, eso, aquello*.

Soluciones: 1. ¿Cómo se llaman **tus** padres? Mi padre se llama Pablo y **mi** madre, Lucía; **2.** ¿Dónde está **su** casa? Su casa está ahí, enfrente del supermercado; **3.** ¿**Tu** hermano trabaja en Madrid? No, mi hermano vive en Valencia y trabaja allí; **4.** ¿Dónde está vuestra escuela? **Nuestra** escuela está al final de la avenida.

2. a. ¿Dónde está el álbum de los niños?/Creo que es este./No, este no es.//¿Es **ese** de ahí?/¡Sí, ese es!/Ahora necesito las fotos de la cena en tu casa./En est**e** sobre hay fotos de la cena./Gracias. Pero hay más, ¿no?/No sé. ¿**Estas** fotos de aquí son también de la cena?/No, **esas** son de mi casa.../Est**as** fotos son de las vacaciones en la playa./Sí, y **aquellas** de allí también./Es verdad.

b. ¿Qué es **eso**?/Es una naranja; ¿Qué es **aquello**?/Es un perchero; ¿Cómo se dice **esto**?/Se dice *tableta*; ¿Cómo se dice **eso**?/Se dice *perro*.

3. a. 1. Es tu sobrino; **2.** Es tu abuelo; **3.** Es tu prima; **4.** Es tu tío.

b. 1. Toni Nadal es el entrenador de Rafa Nadal y es también su **tío**; **2.** Julio y Enrique Iglesias son cantantes. Enrique es el **hijo** de Julio; **3.** Pau y Marc Gasol son **hermanos** y los dos son jugadores de baloncesto; **4.** Mónica es la **hermana** de Penélope Cruz. Son actrices.

4. a. 1. La ventana **está** rota (estado); **2.** Mi hermano **está** aburrido (estado de ánimo); **3.** Cristina **está** nerviosa (estado de ánimo); **4.** La tarta **es** de chocolate (material).

b. 1. Tu padre **es** arquitecto; **2.** Este bolígrafo **es** rojo; **3.** No voy a clase porque **estoy** enfermo; **4.** El supermercado **está** cerrado; **5.** ¿Cómo se dice esto en español? **Es** una bicicleta; **6.** ¿Qué **es** eso? Una sorpresa; **7.** Mi hermano **está** en Argentina; **8.** Nuestro coche **está** roto.

5. a. Adjetivos de descripción física: castaño, alto, gorda; Adjetivos de carácter: nerviosa, serio, antipático.

b. 1-d; 2-e; 3-a; 4-c; 5-b.

Si trabajas con *Meta ELE A1*, tienes un ejercicio adicional con un audio y las respuestas son: No funcionan las líneas 2 y 6 del metro por obras; El acceso al tren está en la segunda planta; Hoy hay una programación especial por la Copa Mundial de Fútbol.

Acción

En esta tarea tus estudiantes deben demostrar que han adquirido y asimilado los contenidos vistos a lo largo del módulo 5, utilizándolos para completar un formulario y para escribir un correo electrónico en el que se describa a su compañero ideal para el intercambio.

Módulo 6

Prepárate para viajar

OBJETIVOS GENERALES

- **Que tus estudiantes aprendan a hablar del tiempo y del clima.**
- **Que sean capaces de desenvolverse en una tienda de ropa, de complementos y de regalos.**
- **Que sean capaces de describir la ropa y de elegir, y argumentar, la elección de las prendas adecuadas a determinadas ocasiones sociales.**

El recorrido hacia la meta (acción):

Paso 1	Paso 2	Paso 3	Paso 4
▶ Aprende a hablar del tiempo	▶ Aprende las palabras	▶ Conoce los nombres de algunos objetos como regalos	▶ Repasa los contenidos de los pasos 1, 2 y 3
▶ Descubre el clima de los países hispanos	▶ Manéjate en una tienda		
▶ Fíjate en cómo expresar la intensidad	▶ Soluciona: Consigue lo que quieres	▶ Sabe estar en cada situación social	**Acción**
▶ Informa: El clima en tu región		▶ Simula: Haz sugerencias	▶ Prepara las maletas para irte de vacaciones

Paso 1 | Informa: El clima de tu región

Objetivos

- Que sean capaces de interpretar un mapa meteorológico e informar del tiempo en las diferentes partes.
- Que aprendan los nombres de los fenómenos meteorológicos, de los tipos de clima y de las estaciones del año.
- Que sean capaces de hablar de la cantidad y la intensidad de acciones, características, cosas y personas.

1 (Aprende a hablar del tiempo)

a. y **b.** Antes de hacer la actividad, haz una lluvia de ideas sobre los nombres y la localización geográfica de las comunidades autónomas de España y de algunas ciudades importantes y/o conocidas por tus estudiantes. Completa la lluvia de ideas con datos de utilidad en función del interés de tus estudiantes. A continuación, puedes proponer otra actividad previa para conocer qué saben tus estudiantes del clima en España. Es el momento, por cierto, de diferenciar entre clima y tiempo. Pregunta si saben en qué parte de España hay más lluvia o dónde hay más sol y calor, etc. Así se irán activando los conocimientos previos, por un lado, y los mecanismos que facilitarán la comprensión al hacer **a**, además de tener un primer contacto con el léxico de los fenómenos meteorológicos. Una vez hecho esto será más sencillo realizar la secuencia **a** y **b**. Como complemento, puedes pedirles que realicen la actividad 1 del cuaderno de ejercicios.

Soluciones: a. En todo el norte hace mal tiempo y está nublado, en Galicia, Asturias y Cantabria hace frío, en el País Vasco y Navarra hay tormentas; En el centro, en Castilla y León y en La Rioja, hay nieblas; En el este, en Cataluña y Valencia, hace buen tiempo, hay nubes y claros y hace 20º; En el sur, en Andalucía y en Murcia, hace sol y hace viento; En Canarias hace sol y calor.

Transcripción del audio:

- Buenos días. Son las nueve y cuarto de la mañana. Vamos con el pronóstico del tiempo.

- A esta hora, hace mal tiempo en toda la zona norte del país, está muy nublado y hace frío en Galicia, Asturias y Cantabria, con tormentas en el País Vasco y Navarra, por lo que recomendamos llevar abrigo y paraguas. En el centro, en Castilla y León y en La Rioja, hay mucha niebla, así que cuidado con el coche. Por suerte en el este, en

Cataluña y Valencia, hace buen tiempo, con nubes y claros y es un día ideal para pasear por la playa, pero todavía no podemos bañarnos en el mar porque tenemos 20 grados centígrados. En el sur, el sol brilla, pero hace mucho viento. Y en Canarias, sol y calor.

- Deportes: Hoy, el Real Madrid ha ganado...

Descubre el clima de los países hispanos

a. y b. La lectura y comprensión de los textos de **a** aportará recursos comunicativos suficientes para que tus estudiantes puedan realizar la descripción de los climas que se pide en **b**. Puedes proponer a tus estudiantes que accedan a la descripción que hace Wikipedia de los tipos de clima si necesitan ayuda: **http://es.wikipedia.org/wiki/Clima#Diferentes_tipos_de_clima**.

Fíjate en cómo expresar la intensidad

Una vez vista la explicación de la tabla de *muy* y *mucho* y antes de que hagan el ejercicio de completar, puedes escribir en la pizarra ocho o diez frases con *muy* y *mucho*, para que tus estudiantes puedan ampliar la explicación. Puedes incluir algunos ejemplos que puedan resultarles confusos y que, por tanto, exijan una reflexión en común a partir de la explicación. Por ejemplo, *Hoy hace mucho frío./El café está muy frío* (*frío* sustantivo o adjetivo) o *Los españoles cenan mucho./Los españoles comen mucho pescado.* (*mucho* que acompaña al verbo o al sustantivo y cómo cambiaría si en lugar de pescado fuera *carne*). Como complemento, puedes pedirles que realicen la actividad 3 del cuaderno de ejercicios.

Soluciones: **1.** ¿Está lloviendo ahora?/Sí, llueve **mucho**./Pff, es **muy** aburrido; **2.** Es un chico **muy** inteligente./Sí y, además, trabaja **mucho** en clase; **3.** ¿Está **muy** lejos el aeropuerto?/No, no. Está **muy** cerca y, además, hay **muchos** autobuses y trenes que van del aeropuerto al centro. Es **muy** fácil llegar; **4.** Necesito un paraguas nuevo. Este está **muy** viejo./Yo te voy a regalar un paraguas **muy** bonito./¡Qué bien! Lo necesito porque voy a ir a La Coruña y allí llueve **mucho**.

Informa: El clima en tu región

Como en otras ocasiones, es importante realizar un trabajo previo de lectura y análisis de los contextos de ambos textos. En este caso, acompaña la reflexión de tus estudiantes para que vean los elementos que diferencian el registro formal e informal de ambos correos electrónicos y, de ese modo, preparen la respuesta más adecuada en función de su elección. Te recomendamos que antes les pidas que realicen la actividad 2 del cuaderno de ejercicios.

Paso 2 | Soluciona: Consigue lo que quieres

 Objetivos

- Que aprendan los nombres de las prendas de ropa y del calzado.
- Que desarrollen los recursos para evitar la repetición de los nombres en una conversación.
- Que aprendan a desenvolverse en una tienda de ropa y complementos.

Aprende las palabras (los nombres de la ropa)

a. y b. Pide a tus estudiantes que sugieran otras prendas cuyo nombre quieran conocer: por medio del dibujo, la mímica o la definición de lo que necesiten, te transmitirán sus necesidades: ayúdales y diles cómo se dice. Después, la secuencia de actividades continúa por una propuesta de identificación de prendas de ropa con las estaciones del año (**b**). En función de donde sean tus estudiantes, pueden variar las vinculaciones que hagan (no es igual Brasil que Polonia, evidentemente) tanto en la actividad **b** como en la **a**. Como complemento, puedes pedirles que realicen las actividades 4, 5 y 6 del cuaderno de ejercicios.

2 Manéjate en una tienda

a. Fija la atención en el primer texto y pide a dos estudiantes que representen la situación como si fuera un teatro. Pídeles que se pongan de pie y que hagan una interpretación de la situación leyendo los textos. Una vez hecha dicha lectura, haz estas tres preguntas:

- ¿Es todo correcto?

- ¿Os parece una conversación natural?

- ¿Por qué?

Ahora pide a otros dos estudiantes que repitan el ejercicio con el segundo texto y procede a repetir las tres preguntas:

- ¿Es todo correcto?

- ¿Os parece una conversación natural?

- ¿Por qué?

Puedes seguir la reflexión pidiendo que piensen si en su idioma ocurre algo parecido, si hay alguna forma de evitar la repetición de las palabras. Ahora tus estudiantes están en disposición de asimilar la explicación de los pronombres de complemento directo y de transformar la primera conversación para que sea más natural. Pide a los mismos dos estudiantes que hicieron la lectura del primer texto que vuelvan a representarlo utilizando el recurso de los pronombres para evitar repeticiones.

b. Este último momento de la secuencia va dirigido a que tus estudiantes practiquen los pronombres al tiempo que son capaces de interpretar las situaciones en las que se producen los diálogos propuestos. Como complemento, puedes pedirles que realicen las actividades 9 y 10 del cuaderno de ejercicios.

3 Soluciona: Consigue lo que quieres

a. Fija la atención del grupo en el personaje central y trata de que vayan saliendo todos los detalles de la imagen: cómo le quedan los pantalones, si son los suyos o unos de la tienda que se ha probado, el vestido en la mano izquierda, el pañuelo rosa en la mano derecha… Propón que busquen en los otros personajes de la imagen las situaciones que están ocurriendo: el señor a la derecha que busca una corbata que combine con unas chaquetas o las chicas del fondo que parecen comparar vestidos, comprobar la calidad de las prendas, etc.

b. Pide que relacionen los diálogos con las situaciones –expresadas a modo de títulos– de la izquierda y con el detalle de la imagen a la que corresponde (las prendas de las que hablan).

c. Organiza la clase en parejas para que simulen una situación en una tienda de ropa. Para distribuir las situaciones comunicativas, puedes recordar las vistas en el bloque **2**. Recuérdales que deben usar todos los recursos aprendidos, tanto los léxicos como los comunicativos y los gramaticales. Como preparación, puedes pedirles que realicen antes la actividad 11 del cuaderno de ejercicios.

Objetivos

- Que conozcan los nombres de complementos y objetos de regalo.
- Que aprendan a decir el precio.
- Que sean capaces de explicar la ropa que llevarían en cada situación social y argumentarlo.
- Que puedan describir prendas, hablando de la talla, el color y el material.

1 — Conoce el nombre de algunos objetos como regalos

a. Deja unos minutos para que tus estudiantes observen con atención toda la información de **a**: los objetos de la imagen del escaparate y sus precios, la lista de precios con el nombre de cada objeto y la lista de personas a las que se propone hacer regalos. Una vez hecha esta toma de contacto con el tema, y con el nuevo léxico, y puedes aprovechar para indicar cómo se leen los precios de euros con céntimos (*treinta y ocho con noventa y cinco* o, simplemente, *treinta y ocho, noventa y cinco*). Ahora, pon la audición (cuantas veces sea necesario) para hacer **a**.

Transcripción del audio:

- ¿Tienes que comprar regalos de Reyes?
- No, ya los tengo todos.
- ¿Sí?
- Sí... mira, para papá una corbata azul y un cinturón. Para mamá, un bolso marrón de cuero y un collar de perlas, muy bonito.
- ¿Y para tus hermanos?
- Para Rafa unas gafas de sol y para Alberto una bufanda y unos guantes.
- Ah, ¡qué bien!
- También tengo el regalo de tu padre: un reloj más moderno que el que tiene. Pero no sé qué regalar a tu madre.
- ¿Y si le regalas un pañuelo de seda?
- ¿Un pañuelo? En la tienda de complementos hay unos pañuelos preciosos y creo que ella quiere uno.
- ¿De verdad? Quizá un pañuelo y unos pendientes bonitos a juego.
- ¿Y para mí?
- Para ti tengo un regalo también, claro... pero es una sorpresa...

b. Con el vocabulario y los recursos aparecidos en **a** tus estudiantes podrán hacer la actividad. Como ampliación, organiza la clase en grupos de tres estudiantes, en los que deberán negociar y decidir qué regalar a qué persona en las situaciones elegidas de las propuestas (que puedes ampliar con alguna más, si lo consideras necesario o interesante). Comenta con el grupo, en la puesta en común final, si en sus países se suele hacer regalos en estas situaciones y en qué otros momentos se suelen regalar los amigos o la familia. Como preparación, puedes pedirles que realicen antes la actividad 13 del cuaderno de ejercicios.

Soluciones: a. Para su padre, una corbata y un cinturón; para su madre, un bolso y un collar; para su hermano Rafa, unas gafas de sol; para su hermano Alberto, una bufanda y unos guantes; para su suegro, un reloj; para su suegra, un pañuelo y unos pendientes. En total se ha gastado 806,30€.

2 — Sabe estar en cada situación social

a. Parte de la explicación de las expresiones del cuadro para describir formas y estilos de vestir. Pregunta si creen según su experiencia que en todos los países la gente viste igual en las situaciones propuestas.

b. y c. Al hacer **b**, pide a tus estudiantes que marquen en los textos la palabra y la preposición que se usa para indicar la materia de las prendas (de seda, de algodón, de lana, de cuero). Hecho esto, propón la actividad **c** y recuérdales que usen todo lo visto: los nombres de las prendas, los colores (ver cuadro) y los materiales.

Soluciones: b. 1-a; 2-d; 3-c; 4-b.

Simula: Haz sugerencias

Como forma de reutilizar todo lo aprendido en este paso, propón que cada uno elija una situación y recomiende a un amigo la ropa que debería llevar. Fija la atención de tus estudiantes en los recursos comunicativos propuestos para cada caso.

Idea 2.0

De compras por la red Mango, Zara, Springfield, Massimo Dutti...

Como complemento de la actividad 3 del paso 3, puedes proponer a tus estudiantes que utilicen Internet para buscar las prendas que están más de moda en las grandes marcas españolas del sector: Mango, Zara, Springfield, Massimo Dutti, Bershka o Desigual... Además de aportar el contenido cultural de las empresas de moda españolas, tus estudiantes podrán simular una compra *on-line*, valorar lo que les costaría vestirse para una ocasión especial o recomendar a los amigos la compra de alguna prenda, enviando un enlace por correo electrónico.

http://www.bershka.com – http://www.desigual.com – http://www.mango.com · http://www.massimodutti.com – shttp://www.pf.com – http://www.zara.com

---

Paso 4 | Repasa y actúa: Haz las maletas

Objetivos

- Que repasen y practiquen todos los contenidos vistos en el módulo 6.
- Que sean capaces de integrarlos a fin de realizar con éxito una tarea final: preparar las maletas para ir de vacaciones.

En el paso 4 se propone una revisión de lo aprendido en los tres primeros pasos, así las actividades invitan a recordar y practicar los contenidos ya vistos y se da un paso más en algunos casos, por ejemplo:

2. Donde se presenta el verbo *quedar* para expresar valoraciones sobre la ropa.

5. Donde se presentan las formas de pago.

Soluciones: 1. a. 1. En **otoño** los árboles se quedan sin hojas y es típico comer castañas; **2.** En **verano** solemos ir a la playa y nos encanta tomar un helado para refrescarnos; **3.** A mi hermana le gusta mucho hacer muñecos de nieve en **invierno**; **4.** Después del **invierno** comienza la **primavera** y llega el buen tiempo. Los árboles florecen y comienza a hacer más calor.

c. 1. Hace buen día, pero **está** un poco nublado-d; **2.** Toma un paraguas, hoy **llueve** mucho aquí y **hace** mucho frío-c; **3.** Ahora mismo **nieva**, está todo blanco, y **hace** viento-a; **4.** Hace muchísimo calor y **hace** sol-b.

d. a-3; b-2; c-1.

3. 1. Necesitamos practicar **mucho** para mejorar nuestro español; **2.** Este restaurante es **muy** caro. No voy a volver nunca; **3.** Creo que beben **mucho** café; **4.** No me gusta esta comida, es **muy** picante; **5.** No podemos ir porque llueve **mucho**.

4. ¿Conoces a Esperanza? Sí, **la** conozco; Tus gafas están en el coche, ¿**las** necesitas? No, ahora no, pero **las** recojo luego; ¿Dónde está mi libro? Perdón, **lo** tengo yo; ¿Tienes unas tijeras? Sí, creo que **las** tengo en el cajón.

5. 1. Caja; **2.** Cuadros; **3.** Corbata; **4.** Collar.

Si trabajas con *Meta ELE A1*, tienes un ejercicio basado en una audición extra y el orden de los diálogos es: 2, 3, 4, 1, 5.

Transcripción del audio:

1. Aquí hace hoy muy mal tiempo. Está lloviendo desde esta mañana y hace viento, pero esperamos un fin de semana mejor...
2. Estamos en la playa disfrutando del sol. Hace 32 grados y vamos a pasar todo el día aquí. Nos vamos a bañar, a tomar el sol y a comer junto a la playa.
3. Lo estamos pasando muy bien en la montaña porque nieva mucho y podemos practicar esquí. Por las noches hace mucho frío, pero estamos junto a la chimenea tomando chocolate y preparando todo para el día siguiente.

Acción

En esta tarea tus estudiantes deben demostrar que han adquirido y asimilado los contenidos vistos a lo largo del módulo 6, utilizándolos a fin de ser capaces de elegir el lugar que más les guste para pasar unas vacaciones, interpretar la información sobre el tiempo y elegir la ropa adecuada al lugar, las actividades y el tiempo.

Visita un nuevo lugar

OBJETIVOS GENERALES

- **Que tus estudiantes sean capaces de reservar el alojamiento más apropiado y adaptado a sus necesidades.**
- **Que puedan dar solución a los problemas más frecuentes que pueden darse en un hotel.**
- **Que sean capaces de comprar recuerdos de su viaje y hablar de ellos.**

El recorrido hacia la meta (acción):

Paso 1	Paso 2	Paso 3	Paso 4
▸ Reconoce los distintos alojamientos	▸ Aprende a decir dónde están las cosas	▸ Aprende a describir los recuerdos típicos de cada lugar	▸ Repasa los contenidos de los pasos 1, 2 y 3
▸ Repasa y amplía los verbos irregulares	▸ Consigue la información que necesitas	▸ Conoce los nombres de los objetos	
▸ **Simula: Elige el alojamiento y haz la reserva**	▸ **Soluciona: Pide lo que necesitas en un hotel**	▸ Fíjate en los posesivos	

			Acción
		▸ **Informa y describe tus costumbres**	▸ Recomienda los lugares a visitar

Paso previo

Si te parece adecuado, antes de entrar propiamente en materia, proyecta o presenta las imágenes con las que se abre el módulo y haz una lluvia de ideas de palabras con el término «hotel».

Paso 1 | Simula: Reserva un alojamiento

Objetivos

- Que aprendan a diferenciar y comparar entre los diferentes tipos de alojamientos.
- Que conozcan cuáles son los servicios que ofrece un hotel a sus clientes.
- Que sean capaces de elegir el mejor según se adapten sus características a sus necesidades.

 1 ⟶ (**Reconoce los distintos alojamientos**)

a. A modo de introducción, cuenta alguna anécdota divertida que te haya pasado en algún alojamiento a modo de motivación inicial. A continuación, tus estudiantes realizan la actividad y asegúrate de que conocen el significado de los adjetivos. Aprovecha, al hablar de *caro/barato*, para introducir los números mayores de 100. Entonces, tus estudiantes eligen el tipo de alojamiento para cada servicio. Si trabajas con *Meta ELE A2*, tienes un audio y tus estudiantes harán la actividad según lo que escuchan. Puedes ver la transcripción del audio en **www.edelsa.es** > Zona profesores.

b. La actividad puede dar lugar a un pequeño debate en el que tus estudiantes elijan qué tres características (junto con las del primer ejercicio) priman sobre las demás a la hora de elegir un alojamiento. Como complemento, puedes pedirles que realicen la actividad 1 del cuaderno de ejercicios.

c. Una vez que tus estudiantes se han familiarizado con el vocabulario y el contexto, realizan la tercera actividad de la secuencia. Deja unos minutos para que cada uno la lea y piense con qué opinión está más de acuerdo. Durante la puesta en común, cada estudiante debe dar su parecer proponiendo argumentos a favor y en contra.

> **Soluciones: a.** Moteles: barato, económico y funcional; Hostales y pensiones: baño compartido, modesto; Hoteles: caro, céntrico, de lujo, vistas panorámicas; Apartahoteles: cómodo, familiar, popular.
> **b.** Cambio de divisa, H; Minibar en la habitación, H; bar y restaurante, H, AT; Piscina, gimnasio y spa, H, AT; Caja de seguridad, H, AP, M; Servicio de habitaciones 24 horas, H; Información turística, H, AP; Acceso Wi-Fi en habitaciones, hoy es posible en todos, pero es más probable en H.

> **c.** Para la chica, un hostal o una pensión; para la pareja, un hotel; para la familia, un apartahotel; para el hombre, un motel.

2 (Repasa y amplía los verbos irregulares)

a. y b. Presenta, con la ayuda de la tabla de **a** que tus estudiantes deben completar con el resto de formas de los verbos irregulares propuestos, la regla de la irregularidad común de este tipo de verbos. Posteriormente, tus estudiantes completarán las frases (**b**) según los verbos del cuadro de arriba. Como complemento, puedes pedirles que realicen las actividades 2 y 3 del cuaderno de ejercicios.

Soluciones: **a.** CONOCER: cono**z**co, conoces, conocés, conoce, conocemos, conocéis, conocen; CONDUCIR: condu**z**co, conduces, conducís, conduce, conducimos, conducís, conducen; CONSEGUIR: consi**g**o, consigues, conseguís, consigue, conseguimos, conseguís, consiguen; HUIR: hu**y**o, hu**y**es, huis, hu**y**e, huimos, huís, hu**y**en.

b. 1. La verdad, lo **reconozco**, estoy cansado. Este fin de semana me voy a ver el mar y a relajarme/Pues yo **conozco** un hotelito familiar muy acogedor en la costa/Te lo **agradezco**, pero ya tengo uno reservado, gracias. **2.** En la sierra **construyen** unos apartahoteles donde pasar unas semanitas de lo más atractivos/Ah, ¿sí? ¿Y cuándo los terminan?/ Lo **desconozco**, pero me informo y te lo digo/Es que yo, cuando quiero huir del estrés, me subo al coche, **conduzco** unos cuantos kilómetros, y me **detengo** allí donde veo un sitio que es bonito.

3 (Simula: Elige el alojamiento y haz la reserva)

a. y b. El propósito de esta actividad es que tus estudiantes practiquen una situación que tendrán que resolver, antes o después, si viajan a un país hispanohablante. Las actividades **a** y **b** las realizan de forma individual pensando en un posible viaje a España, por ejemplo, si no quieren practicar con una situación real de un viaje que hayan hecho o que planeen realizar.

c. Después, para la tercera parte de la actividad, tus estudiantes se intercambiarán los papeles para simular una reserva atendiendo a lo contestado en los dos apartados anteriores y poniendo en juego el máximo número de contenidos tanto léxicos como gramaticales vistos en el paso.

Idea 2.0
Busca hotel Trivago

Propón que reutilicen todo lo visto en este paso 1 en un contexto real y, para ello, qué mejor que utilizar el servicio líder en España de búsqueda de hoteles, que recoge más de medio millón de hoteles de todo el mundo. Siguiendo las indicaciones del bloque de actividades 3, puedes pedirles que completen el formulario de la página web con la información que han utilizado en la actividad de simulación y que elijan la opción que más se ajuste a sus intereses de entre todos los resultados que el metabuscador les dará. La página tiene una interfaz muy sencilla e intuitiva y tus estudiantes reconocerán el vocabulario que han aprendido al tiempo que se verán inmersos en un proceso de aprendizaje informal muy interesante.

http://www.trivago.com

Paso 2 | Soluciona: Pide servicios en un hotel

Objetivos

- Que aprendan a ubicar objetos en el espacio para poder dar indicaciones de las condiciones en las que está su alojamiento.
- Que sean capaces de reconocer y expresar qué deben llevar a un viaje.
- Que puedan comunicar a su interlocutor sus necesidades cuando están alojados en una ciudad que no es la suya.

1 (Aprende a decir dónde están las cosas)

a. y b. A modo de introducción, cuenta a tus estudiantes cómo es la mejor habitación de hotel en la que has estado. Diles en qué hotel está, en qué ciudad y describe cómo es (incluso se puede inventar alguna situación más o menos embarazosa como, por ejemplo, que perdiste el pasaporte y no lo encontrabas buscando por toda la habitación mientras utilizas para describir la situación los recursos de ubicación espacial que vamos a estudiar). Ahora, pide que realicen la actividad **a** que les pondrá en contacto con un vocabulario nuevo y, en un segundo momento, con la forma de localizar en el espacio dichos objetos (**b**).

c. Hecho esto, pon el audio dos veces. La primera vez, tus estudiantes no hacen la actividad, solo escuchan y ponen atención a ver cuáles de las palabras nuevas que han aprendido son capaces de reconocer. En la segunda, escuchan y hacen la actividad **b**. Como complemento, puedes pedirles que realicen las actividades 5 y 6 del cuaderno de ejercicios.

Soluciones: **a.** el armario-1; el baño-7; la cama-4; el cuadro-5; la ducha-6; el espejo-11; la lámpara-12; la manta-3; la mesa-13; la percha-2; la silla-9; el televisor-10; las toallas-8.

b. **1.** El libro está **encima de** la mesa; **2.** El mando a distancia está **al lado de** la tele; **3.** La silla está **delante de** la mesa; **4.** Cristina está **delante del** espejo; **6.** El abrigo está **dentro del** armario.

c. El mando a distancia del televisor, una manta y papel higiénico.

Transcripción del audio:
-Recepción.
-Hola. Mire, la televisión no tiene mando a distancia.
-Sí, sí, está a la derecha de la tele.
-Ah, vale. Aquí está. Y una cosa más... ¿hay otra manta?
-Sí, sí. Dentro del armario. Hay una almohada y una manta extras.
-Gracias. Lo último: no hay papel higiénico.
-¿No hay en el cuarto de baño? Perdón, ahora subimos.
-Muchas gracias.
-De nada. Buenas noches.

---

2 ⎯⎯(**Consigue la información que necesitas**)

a. Haz una ronda previa de preguntas a tus estudiantes sobre cuáles son las necesidades más habituales que podemos tener cuando estamos alojados en un hotel. Pregunta si han hecho uso del servicio de habitaciones (y qué les ha parecido), si han utilizado la lavandería, preguntado algo en recepción, etc. Después, pide que realicen la actividad de forma individual y corrígela en el pleno. Como complemento, puedes pedirles que realicen la actividad 7 del cuaderno de ejercicios.

> **Soluciones a.** 1-g; 2-a y h; 3-b, e, i y j; 4-d y f; 5-c y k.

---

3 ⎯⎯(**Soluciona: Pide lo que necesitas en un hotel**)

a. y b. Llega el momento de que tus estudiantes pongan en juego todo lo que han aprendido tanto en este paso como en el anterior. En primer lugar, pide a tus estudiantes que escriban lo que deberían preguntar en recepción para resolver los problemas que sugiere la actividad (**a**). Puedes incluir otros nuevos adaptados a tu contexto educativo. A continuación, en parejas, tus estudiantes hacen un juego de roles en el que ellos eligen la situación más interesante y la representan intercambiándose, después, los papeles (**b**).

Paso 3 | Informa: Tus costumbres con los regalos

Objetivos
- Que aprendan a utilizar el vocabulario propio de los recuerdos de viajes.
- Que sean capaces de desenvolverse en una tienda de recuerdos.
- Que puedan comunicar cómo es y dónde compraron uno o varios artículos en el transcurso de un viaje.

---

1 ⎯⎯(**Aprende a describir los recuerdos típicos de cada lugar**)

a. Lleva al aula algún recuerdo de un viaje que haya sido especial para ti y cuenta tu experiencia a la hora de comprarlo. Después, pide a tus estudiantes que realicen los apartados **a** y **b**.

c. Ahora, muestra a tus estudiantes alguna foto divertida de alguno de tus viajes en los que aparezcan tus familiares o amigos. Utiliza los recursos gramaticales propios de las oraciones relativas para dar la información a modo de ejemplo *(Este es el hotel donde voy todos los veranos)*. Después, pide a tus estudiantes que hagan la actividad **c**.

Conoce los nombres de los objetos

Esta actividad intenta ayudar a tus estudiantes a familiarizarse con el vocabulario propuesto a través de una actividad de comprensión auditiva en la que deberán identificar cuáles son los hábitos de las personas que hablan. Después, puedes cerrar esta sección haciendo preguntas sobre qué tipo de recuerdos les gusta más llevar a sus familiares, cuál ha sido el mejor y el peor recuerdo que les han llevado, etc.

Soluciones:	el marcapáginas-la tía de Teresa; la camiseta (de la Selección de fútbol de los países)-Dani; la figurita (folclórica o típica)-Teresa; las tazas-una amiga de Dani; el bolígrafo-el profesor de Dani.

Transcripción del audio:
- Mira qué marcapáginas más bonito. Tiene una frase de Pablo Neruda.
- Mi tía tiene una colección de marcapáginas de los museos que visita. Tiene del Prado, del Louvre, de la National Gallery, del MOMA…
- Pues yo tengo una camiseta de la Selección de fútbol de los países que he visitado. Ya tengo más de veinte. Las colecciono.
- ¿De verdad? Yo no tengo ninguna colección, pero siempre compro figuritas típicas. Me gustan las figuritas folclóricas.
- Ah, qué interesante. Tengo una amiga que tiene tazas de las ciudades, los monumentos y los museos donde va. Trabaja en una cafetería y tiene todas las tazas en una exposición. Tiene casi doscientas.
- ¡Madre mía!
- Igual que mi profesor de español: tiene una colección de bolígrafos. Tiene bolígrafos de publicidad y muchos de sus viajes por el mundo.
- La verdad es que el tema de las colecciones es interesante… hay gente que colecciona de todo…

Fíjate en los posesivos

a. Explica, apoyándote en el cuadro y poniendo algunos ejemplos en la pizarra, los posesivos y pide que completen la actividad. A la hora de corregir, pide que sean dos estudiantes quienes lean los diálogos y aprovecha para mejorar la entonación. Como complemento, puedes pedirles que realicen la actividad 8 del cuaderno de ejercicios.

Soluciones:	Mónica, ¿esta es tu camiseta?/Sí, es la **mía**. ¿Dónde está la **tuya**?/No lo sé, no la veo; A ver, ¿de quién son estos marcapáginas?/Son **míos**/Y esta camiseta es de Tania, ¿verdad?/Sí, es **suya** y el abanico también es **suyo**; ¿Tenéis las entradas para la exposición?/Tenemos las **nuestras**, pero no las **vuestras**/¿No?; ¿Cuál es tu ciudad favorita?/ Uhmmm… difícil pregunta… quizá Buenos Aires. ¿Y la **tuya**?/La **mía** es San Sebastián/Sí, es preciosa, la conozco también.

Informa y describe tus costumbres

a. y **b.** Como preparación y complemento, antes de entrar en la actividad propiamente, puedes pedirles que realicen las actividades 9 y 10 del cuaderno de ejercicios. Luego, agrupa a tus estudiantes en parejas y pide que conversen atendiendo a las preguntas propuestas durante unos minutos. Después, cada estudiante debe explicar al resto de la clase qué es lo que le ha contado su compañero. El resto de tus estudiantes puede aprovechar la ocasión para realizar preguntas si lo creen oportuno para saber más de algo interesante que se haya dicho.

Objetivos

- Que repasen y practiquen todos los contenidos vistos en el módulo.
- Que sean capaces de integrarlos y realizar con éxito la tarea final: ayudar a una persona (conocida o no) que visita su ciudad.

En el paso 4 se propone una revisión de lo aprendido en los tres primeros pasos, así las actividades invitan a recordar y practicar los contenidos ya vistos y se da un paso más en algunos casos, por ejemplo:

1.b. Donde se presenta la forma de localizar geográficamente ciudades y regiones (puntos cardinales).

Soluciones: **1. a.** El dinero está **dentro** de la cartera; La cartera está **debajo** del móvil y las llaves están **delante** de la cartera; Las gafas de mi abuelo están **encima** de su periódico; Los bollos están **encima** de los papeles y el libro está **debajo** de la taza y las gafas; El jabón está **al lado** de las toallas; El cepillo está **encima** del espejo y **delante** del secador.

    b. 1. Málaga está **en el sur** de España; **2.** Francia está **al norte** de España; **3.** Valencia está **en el este** de España; **4.** Alicante está **al sur** de Valencia; **5.** Bilbao está **en el norte** de España.

2. **1.** ¿**Conoces** un buen restaurante cerca de aquí?/Sí, claro, **conozco** un restaurante mexicano buenísimo; **2.** El precio **incluye** dos noches y desayuno y, además, una excursión opcional; **3.** Ya son las 9:30 y la tienda **sigue** cerrada. Es muy extraño, ¿verdad?; **4.** Si queréis, yo **traduzco** este cartel y así podéis entenderlo; **5.** ¿Tienes una moto? Yo también, **conduzco** una muy grande.

3. **1.** Este es el hotel **donde** trabaja mi hermana Carmen; **2.** La tienda **que** está cerca de mi trabajo se llama «La Mar»; **3.** El perfume **que** usa mi profesor huele muy bien; **4.** El cajón **donde** guardo mis cosas está roto; **5.** La universidad **donde** estudian mis hijos tiene 25 000 alumnos; **6.** La universidad **que** tiene más prestigio es esta.

4. **1.** Este es nuestro hotel, ¿dónde está **el vuestro**?/El nuestro está en esa calle; **2.** Mi hijo llega de la escuela muy cansado todos los días, ¿y **el vuestro**?/Mi hija también, ahora tiene muchos exámenes; **3.** Mis nuevos compañeros son muy simpáticos, ¿y **los tuyos**?/Los míos también, estoy muy contento; **4.** Las bolsas de Miriam están aquí, ¿y **las vuestras**?/Las **mías** están aquí y las de mi madre no lo sé.

Acción

En esta tarea tus estudiantes deben demostrar que han adquirido y asimilado los contenidos vistos a lo largo del módulo, preparando información sobre su ciudad (ubicación geográfica, alojamiento) recomendando el mejor mes para visitarla, qué y dónde comer, qué comprar –como *souvenir* para los amigos y familiares–, dónde salir de fiesta y toda la información más que quiera aportar.

Haz planes y organízate

OBJETIVOS GENERALES
- **Que tus estudiantes sean capaces de comprender la información que ofrecen las agencias de viaje.**
- **Que puedan elegir la mejor opción para su viaje de entre varias dadas.**
- **Que sean capaces de elaborar un plan de viaje.**
- **Que puedan expresar cuáles son sus planes.**

El recorrido hacia la meta:

Paso 1	Paso 2	Paso 3	Paso 4
▶ Aprende a describir tus preferencias	▶ Aprende a comparar	▶ Aprende a expresar planes	▶ Repasa los contenidos de los pasos 1, 2 y 3
▶ Aprende a hablar del pasado	▶ Fíjate en las comparaciones	▶ Descubre los intereses turísticos	
▶ Conoce los participios irregulares	▶ **Simula: Compara varias opciones de viajes**	▶ **Soluciona: Negocia tus planes**	**Acción**
▶ Aprende la diferencia entre *ya* y *todavía no*			▶ Elabora el plan de viaje
▶ **Informa: Tus preferencias de vacaciones**			

Paso previo

Si te parece adecuado, antes de entrar propiamente en materia, proyecta o presenta las fotos con las que se abre el módulo y pide a tus estudiantes que las asocien con palabras como *paisaje, ciudad, monumento, ruina, playa, montaña,* etc. Otra posibilidad es que tú les des una selección de palabras en tarjetas y que ellos se levanten para pegarlas en la imagen que corresponde.

Paso 1 | Informa: Tus preferencias de vacaciones

Objetivos

- Que puedan expresar cuáles son sus preferencias a la hora de viajar.
- Que sean capaces de hablar de un viaje.

1 | Aprende a describir tus preferencias

a. y b. A modo de introducción, cuenta alguna experiencia interesante que hayas tenido en tu vida personal a la hora de elegir un viaje. A continuación, tus estudiantes hacen la actividad **a** individualmente. Después, pueden conversar entre ellos comentando cuáles son sus preferencias a la hora de elegir su viaje perfecto. Pueden explicar estas preferencias a su compañero que, al mismo tiempo, puede hacer preguntas solicitando más información (**b**). Posteriormente, propón una puesta en común en la que cada estudiante puede comentar la opinión de su compañero.

c. Por último, pide a tus estudiantes que lean los bocadillos y digan cuál es la solución a la cuestión que encabeza el ejercicio. Puedes cerrar esta actividad con un juego de rol en el que tus estudiantes mantengan diálogos parecidos al del ejemplo de **c** a partir de unas pautas dadas. Por ejemplo, es una pareja que está decidiendo dónde ir de vacaciones: uno quiere ir a una gran capital europea para ver monumentos y museos mientras el otro prefiere el campo o la playa para relajarse.

2 | Aprende a hablar del pasado

Comienza poniendo la audición para que contesten a las preguntas. Pide que pongan atención a cómo habla del pasado y aprovecha para explicar la forma del pretérito perfecto compuesto.

Soluciones: **1.** Hablan de Buenos Aires; **2.** Se va de viaje mañana y va a estar una semana; **3.** Le recomienda que vea el barrio de La Boca, La Recoleta, un espectáculo de tango y el Obelisco.

Transcripción del audio:

- Hola, Miguel, ¿qué tal?
- Muy bien. ¿Sabes? ¡Me voy de viaje a Buenos Aires!
- ¿Sí? Qué casualidad. Yo también he estado allí este año. ¿Cuántos días vas a estar?
- Una semana.
- ¿Y cuándo tienes el vuelo?
- Mañana por la mañana.
- ¿Y ya lo has preparado todo?
- Sí. Hoy, por fin, he terminado de hacer la maleta y, a comienzos de esta semana, he conseguido el visado.
- Buenos Aires te va a encantar.
- ¿Has visto el barrio de La Boca? Dicen que es muy bonito.
- Sí, es precioso. Me gusta mucho su colorido. También he visitado el barrio de Recoleta, tiene mucho ambiente y hay muchas cosas para ver. Te lo recomiendo.
- ¡Qué bien!
- Lo que más me ha gustado de la ciudad es ver un espectáculo de tango.
- Ah, me encanta el tango. Por cierto, ¿has visto el Obelisco?
- Sí, es muy grande. Impresionante. Tienes que verlo.

3 — Conoce los participios irregulares

a. y b. Cuenta a tus estudiantes algunos momentos especiales, enseñando fotografías de algunos viajes que hayas hecho durante, por ejemplo, el último año. Después, pide que relacionen las dos columnas (**a**) individualmente y que completen el texto (**b**) en parejas. Como complemento, puedes pedirles que realicen las actividades 1, 2, 3, 4, 5 y 9 del cuaderno de ejercicios.

Soluciones: **a.** 1-c; 2-i; 3-e; 4-h; 5-j; 6-f; 7-d; 8-a; 9-g; 10-b.

b. Hoy **hemos hecho** una excursión a Granada, ciudad Patrimonio de la Humanidad. **Hemos visto** la Alhambra, uno de los monumentos más bonitos de España. A mi hermana Marta le **ha encantado** y a mí también. Después, **hemos ido** a comer. Marta **ha probado** el famoso gazpacho andaluz y yo **he comido** pescado. Por último, **hemos visitado** la casa de Federico García Lorca, un famoso escritor español del siglo xx, y **ha sido** impresionante. Yo **he hecho** muchas fotos.

4 — Aprende la diferencia entre *ya* y *todavía no*

a. y b. Elabora en la pizarra una lista de cinco cosas que ya hayas hecho en tu vida (y que te hacía ilusión hacerlas) y otras cinco cosas que no has hecho (y que te gustaría hacer). Pide a tus estudiantes que las comenten o que te hagan preguntas sobre ellas. Después, pon el audio y diles que marquen qué acciones se nombran. A continuación, pide que hagan una lista similar a la tuya y que la comenten con un compañero.

Soluciones: **a.** Ya ha cambiado los billetes para Barcelona y ha comprado el regalo de cumpleaños de Marta; todavía no ha llamado al banco, no ha pedido cita para el médico, no ha recogido a los niños del colegio, no ha preparado los sándwiches y no ha enviado el *e-mail* a los abuelos.

Transcripción del audio:

- ¿Dígame?
- Hola, Paula. Soy Victoria. ¿Qué tal?
- Muy bien... bueno, la verdad es que un poco estresada...
- ¿Y eso? ¿Por qué?
- ¿Por qué? Mira, son casi las seis y media y todavía no he hecho casi nada...
- Pero... ¿tan ocupada estás?

- Ay... ¿ocupada? Esta mañana, cuando he llegado a la oficina, he tenido dos reuniones. Luego, he estado dos horas en la estación de tren para cambiar los billetes para Barcelona, porque Pablo no puede hacer el viaje al final...
- ¡Vaya!
- Después, he comprado el regalo para el cumpleaños de Marta, que es el sábado... total, casi toda la tarde, y todavía no he llamado al banco ni tampoco he pedido cita para el médico.
- ¿Y los niños? ¿Cómo están?
- Pues bien. Ahora voy a recogerlos y esta tarde tengo que enviar un *e-mail* a los abuelos para invitarles al cumpleaños. Ah, y tengo que preparar los sándwiches para la excursión que van a hacer mañana al campo... ¡y todavía no he preparado nada!
- Bueno, bueno... no te interrumpo más... otro día hablamos.
- Vale. Hasta luego...

5 Informa: Tus preferencias de vacaciones

Es el momento en el que tus estudiantes deben poner en juego lo aprendido en este primer paso. Puedes proyectar alguna entrevista con algún famoso que esté de actualidad hablando de sus vacaciones en algún programa del corazón. Después, coméntala con ellos y pide que hagan los dos apartados del ejercicio.

Paso 2 | Simula: Varias opciones de viaje

Objetivos

- Que aprendan a procesar la información de una guía de viaje.
- Que sean capaces de comparar varias ofertas de viaje y elegir la más conveniente para ellos.

1 Aprende a comparar

a. y **b.** Comienza proponiendo la lectura de las seis frases de **a** para que digan si creen si son verdaderas o falsas. Después, pide que realicen la actividad en parejas. No se trata de que tus alumnos descubran la realidad, sino de que expresen su opinión utilizando «creo que sí» o «creo que no». Busca en Youtube vídeos promocionales de dos ciudades hispanas que te gusten y en las que, si es posible, hayas estado. Escribe en la pizarra frases divertidas y personales comparándolas, según los modelos dados en **a**. A continuación, procede a la explicación de estructuras comparativas junto al grupo, completando el cuadro (**b**). Por último, pide que elijan dos ciudades. Tienen que decir el nombre de una de ellas y ocultar el de la otra y pide que escriban frases comparando. El resto de la clase debe adivinar de qué ciudad se trata.

c. y **d.** Pide a cuatro estudiantes que lean en voz alta, cada uno, uno de los pequeños textos y ve aclarando el significado de las palabras que no conozcan. Después, pide que completen el diálogo (**d**). Como complemento, puedes pedirles que realicen las actividades 6, 7 y 8 del cuaderno de ejercicios.

Soluciones: a. (Aunque no importa si adivinan o no las respuestas, eso no es lo importante, te damos las claves por si te sirve de ayuda) **1.** Verdadero, Sevilla tiene unos 800 000 habitantes y Málaga, 600 000; **2.** Falso, Canarias tiene unos 9 600 000 turistas al año y Baleares, 6 700 000; **3.** Falso, Argentina es tradicionalmente un país de una gran producción y consumo de carne de vacuno; **4.** Falso, en el Mediterráneo los huracanas no son muy frecuentes y en el Caribe, por el contrario, sí: **5.** Verdadero, el aeropuerto de Palma de Mallorca recibe unos 6 200 000 viajeros anuales y el aeropuerto de Barcelona, 24 200 000; **6.** Falso, los destinos principales de los españoles son dentro de la Unión Europea.

c. ¿Dónde vamos en verano de vacaciones? ¿Vamos a Cancún a la playa?/A mí no me gusta la playa. Si vamos a América Latina, es mejor São Paulo porque hace **menos** calor **que** en México en agosto y hay **más** oferta cultural **que** en Cancún/Bueno, si te interesa la cultura, podemos ir a Londres. Allí hay **más** museos **que** en São Paulo/O Praga, que es tan interesante **como** Londres y es **menos** turística **que** São Paulo y Londres, ¿no?/Sí, pero en verano Praga puede tener **tantos** turistas **como** Londres... la ciudad está de moda/No sé, no sé...

(2) Fíjate en las comparaciones

Pon la audición y pide que completen el cuadro comparando el tiempo en la ciudad de Ricardo y en la de Julieta.

> **Soluciones:** En la ciudad de Ricardo llueve mucho, hace mucho viento y hace calor, 19 grados; en la ciudad de Julieta nieva mucho, hay niebla y hace mucho frío.

Transcripción del audio:

- Oye, Ricardo, ¿cómo es el clima en tu ciudad? Estoy pensando en visitarla en vacaciones...

- Pues el clima en mi ciudad, en general, es muy bueno. Casi todo el año hace calor. La temperatura media es de 19 ºC todo el año.

- Ay, qué bien... en mi ciudad las temperaturas son más bajas. En verano es un clima cálido, pero en invierno hace mucho frío y nieva todo el invierno...

- Claro, tu ciudad es una ciudad de montaña. Yo vivo junto al mar y no nieva nunca. Pero en otoño y en invierno llueve bastante. Nosotros decimos que es la época húmeda.

- ¿Y por las mañanas hay niebla?

- No, la verdad es que no...

- En mi ciudad sí. Por las mañanas, cuando hace frío, hay mucha niebla y no se puede ver casi nada... En mi ciudad también llueve, pero menos. Normalmente, cuando hace frío nieva, pero llueve poco.

- En mi ciudad, además, hace mucho viento... muchísimo. Bueno, en realidad, hay muchas competiciones de *windsurf* en las playas de mi ciudad.

- ¡Qué bien! Me encanta hacer *windsurf*.

- Pues, ya sabes, tienes que venir...

(3) Simula: Compara varias opciones de viajes

Antes de proponer la actividad, puedes fijar la atención de tus estudiantes en las cuatro situaciones y preguntarles qué características consideran que debe tener el lugar adecuado para cada situación. Tras esta introducción, propón la realización de la actividad.

Paso 3 | Soluciona: Negocia tus planes

Objetivos

- Que puedan exponer con efectividad sus planes.
- Que sean capaces de negociar y elegir el mejor plan de entre varios posibles.
- Que puedan utilizar con soltura el vocabulario básico del turismo para expresar sus preferencias a la hora de viajar.

(1) Aprende a expresar planes

a. y b. Haz una breve exposición a tus estudiantes de tus planes para la(s) próxima(s) semana(s). Puedes ponerlos en contexto contando algún pequeño debate, discusión o diferencia entre tus planes y los de tus amigos o pareja. Esto servirá para contextualizar y para introducir la perífrasis *ir a* + infinitivo a partir de tu experiencia y de la observación de las imágenes de **a**. Luego, escriben sus frases individualmente. Pide voluntarios para leer algunas y corregir así en el pleno.

c., d., e. y f. Pon el audio y pide que contesten a las preguntas. Lleva un mapa de la zona maya de México para que entre todos marquen el itinerario del viaje. Luego, forma parejas para que resuelvan la actividad **e**. Entonces, para que entiendan bien las diferencias entre los tres tipos de estructuras, puedes ejemplificar cada una de las opciones con un par de frases sobre tu vida personal (evidentemente, pueden ser inventadas, pero las dices como si fueran personales) para hacer más interesante la actividad. Puedes reutilizar y ampliar las que has usado al introducir este bloque de actividades. Después, tus estudiantes deben unir con flechas las perífrasis con sus significados. Luego, forma parejas y pide que negocien el mejor plan para cada uno de los momentos que se proponen. Como complemento, puedes pedirles que realicen la actividad 12 del cuaderno de ejercicios.

Soluciones: **a.** (Las respuestas son libres, pero podrían ser parecidas a estas) La mujer va a cocinar; La chica va a jugar al baloncesto; El chico va a limpiar el coche/fregar los platos/limpiar la casa; Las personas van a ver una película en el cine; Los chicos van a tomar algo/comer/cenar en una cafetería; La mujer va a tener un hijo.

c. ruta, mapa, pasaporte, reserva, sol, turismo, fotos, alquilar.

d. **1.** Chichén Itzá, Tulum, Cozumel, Isla Mujeres y Cobá; **3.** Isla Mujeres; **4.** Punta Allen.

e. **1.** Mañana se van de vacaciones a México. Ya tienen los billetes y las maletas hechas; **2.** Seguramente van a ir en taxi al aeropuerto, es más cómodo; **3.** El primer día en México pueden ir a la playa o a Chichén Itzá, pero ella quiere hacer turismo primero; **4.** Van a alquilar un coche para recorrer la isla de Cozumel.

f. Presente-Expresa un hecho, un dato futuro; *Ir a* + infinitivo-Expresa la intención de futuro; *Querer* + infinitivo-Expresa un deseo de futuro.

Transcripción del audio:

- Estoy muy nerviosa. ¡Mañana nos vamos a México!

- Sí. ¡Qué bien! Estoy deseando llegar a Playa del Carmen. ¿Qué tal si repasamos la ruta?

- Sí, de acuerdo. ¿Y el mapa?

- Aquí lo tengo. Vamos a ver...

- En primer lugar, mañana a las 7:00 vamos a ir en un taxi al aeropuerto. ¿Tenemos preparados los pasaportes, los billetes de avión y la reserva del hotel?

- Sí. Aquí está todo.

- Bien. El primer día vamos a visitar Chichén Itzá para ver la pirámide maya.

- ¿Y si pasamos el primer día tumbados en la playa disfrutando del sol caribeño?

- No, Miguel, es mejor hacer primero turismo y, después, disfrutamos de la playa.

- De acuerdo, primero a Chichén Itzá.

- El segundo día podemos ir a Cozumel o a Tulum. ¿Qué crees que es mejor?

- Yo creo que vamos a visitar Tulum, está cerca del hotel y tengo muchas ganas de verlo. Hay muchas fotos en Internet y me gusta muchísimo. Quiero ir uno de los primeros días.

- De acuerdo. Entonces el tercero a Cozumel.

- A ver... uhmmm... sí. Allí vamos a alquilar un coche para recorrer la isla, ¿no?

- Sí.

- ¡Ah! Voy a comprobar si tengo el carné de conducir en la bolsa de viaje... Sí, aquí está.

- Muy bien. El cuarto día vamos a navegar en velero a Isla Mujeres. ¿Qué te parece?

- ¡Fenomenal! Tengo muchas ganas de navegar.

- ... y el último día... no me acuerdo qué tenemos programado.

- A ver, voy a mirar... Ah, sí. Mira, por la mañana vamos a bañarnos junto a las tortugas en Punta Allen y por la tarde vamos a visitar la pirámide de Cobá.

- ¡Genial!

- Sí. Lo vamos a pasar muy, muy bien.

- Sí.

(2) — **Descubre los intereses turísticos**

a. y **b.** Lee el texto con tus estudiantes aclarando el significado de las palabras que no entiendan. Así, les será más sencilla la realización de la actividad **a** de comprensión y ampliación de vocabulario. Para llevar a cabo la actividad **b** organiza la clase en parejas para que lo comenten y, posteriormente, haz una puesta en común.

Como preparación, antes de entrar propiamente en la actividad, puedes pedirles que realicen las actividades 10 y 11 del cuaderno de ejercicios. Luego, pide que completen de forma individual los cuadros. Después, pide que preparen una presentación exponiendo las razones de su elección. Ahora, cada estudiante deberá elegir una situación, comentar la ciudad que considera más apropiada para realizar este viaje y por qué. Puedes proponer que el compañero de la derecha rebata la opinión del compañero proponiendo justificadamente otra alternativa.

Paso 4 | Repasa y actúa: Elabora el plan de viaje

Objetivos

- Que repasen y practiquen todos los contenidos vistos en el módulo.
- Que sean capaces de integrarlos a fin de realizar con éxito una tarea final: elaborar el plan de un viaje.

En el paso 4 se propone una revisión de lo aprendido en los tres primeros pasos, así las actividades invitan a recordar y practicar los contenidos ya vistos y se da un paso más en algunos casos, por ejemplo:

1.a. Donde se repasa, se amplían y se sistematizan los usos del pretérito perfecto compuesto.

4.a. Donde se amplían los adjetivos para hablar de las ciudades.

> **Soluciones: 1. a.** Esta semana, hoy, este año.
> **b.** Verdadero, falso, verdadero.
> **c. 1.** b; **2.** c; **3.** a; **4.** c.
> **4. a.** 1-c; 2-f; 3-g; 4-b; 5-a; 6-d; 7-e.

🔊 **Transcripción del audio:**

1. - ¿Qué vas a comprar para la cena?
   - Pues no sé… no quiero *pizza* otra vez.
   - ¿Compramos unas verduras y hacemos ensalada?
   - Sí, me parece bien, porque el pescado no es muy fresco.

2. - ¿Qué película vas a ver?
   - No sé, Marta quiere ver una comedia romántica, pero a mí no me gustan, yo prefiero una de terror.
   - Ya creo que Marta odia las películas de terror y las de acción. Solo ve pelis románticas o dramas.

3. - ¿Van a tomar postre, señores?
   - Sí, por favor. ¿Qué quieres, Andrés?
   - Yo quiero un helado de vainilla.
   - Y yo… ¿tienen flan?
   - No, lo siento, señora.
   - Pues un trozo de tarta de fresa.

4. - Bueno, por fin las vacaciones.
   - ¿Dónde vas a ir?
   - No lo sé todavía, pero seguro que no repito el crucero del año pasado. Es muy aburrido: barco, playa, barco, playa... así todo el tiempo. Quiero visitar alguna ciudad histórica, ver algunos museos y conocer algunos monumentos interesantes.

Acción 👉

En esta tarea tus estudiantes deben demostrar que han adquirido y asimilado los contenidos vistos a lo largo del módulo planificando detalladamente un viaje.

Cuida tu salud

OBJETIVOS GENERALES

- **Que tus estudiantes sean capaces de expresar cómo se sienten, explicando los síntomas y las partes del cuerpo que les duelen.**
- **Que puedan dar consejos ante problemas de salud.**
- **Que sean capaces de desenvolverse en la consulta del médico y en la farmacia.**
- **Que puedan interpretar el prospecto de un medicamento.**

El recorrido hacia la meta (acción):

Paso 1	Paso 2	Paso 3	Paso 4
▶ Descubre las partes del cuerpo	▶ Aprende a explicar enfermedades	▶ Entiende la información de un prospecto médico	▶ Repasa los contenidos de los pasos 1, 2 y 3
▶ Aprende a explicar cómo te sientes	▶ Aprende el imperativo	▶ Descubre los nombres de los medicamentos	**Acción**
▶ Aprende a dar consejos y remedios	▶ **Simula: Desenvuélvete en la consulta del médico**	▶ Aprende a manejarte en una farmacia	▶ Un decálogo de vida saludable
▶ **Informa: Tu historial médico**		▶ **Soluciona: Prepara el botiquín**	

Paso previo

Si te parece adecuado, antes de entrar propiamente en materia, proyecta o presenta los cinco documentos con los que se abre el módulo y pide a tus estudiantes que predigan cuál es el tema del módulo, qué contenidos creen que van a estudiar, qué estructuras gramaticales (el imperfecto y las perífrasis de obligación), etc. Esta predicción les ayudará a estructurar mentalmente su aprendizaje.

Paso 1 | Tu historial médico

Objetivos

- Que aprendan el vocabulario para hablar del cuerpo humano.
- Que sean capaces de expresar dolores.
- Que sean capaces de hablar de su historial médico.

(1) ─(**Descubre las partes del cuerpo**)

a. y **b.** Antes de empezar, propón una lluvia de ideas para recordar las partes del cuerpo que ya conocen tus estudiantes. Tras ello, fija la atención en las opiniones y pide que digan con cuál se identifican. A medida que vaya apareciendo el nuevo vocabulario, pide que traten de extraer el significado por el contexto y que vayan rellenando los huecos en la imagen. Una vez hecho esto, pregunta en qué se fijan cuando conocen a un chico o a una chica y por qué. También puedes preguntar qué les atrae más de una persona. Como complemento, puedes pedirles que realicen las actividades 1, 2 y 3 del cuaderno de ejercicios.

Soluciones: a. a. el ojo; **b.** la nariz; **c.** la boca; **d.** el cuello; **e.** el pecho; **f.** el estómago; **g.** la mano; **h.** el dedo; **i.** la rodilla; **j.** el pie; **k.** el tobillo; **l.** la pierna; **m.** la cadera; **n.** el codo; **ñ.** la espalda; **o.** el brazo; **p.** la oreja; **q.** la cabeza.
b. 1. Los pies; **2.** Los ojos y las manos; **3.** Los tobillos; **4.** Los brazos y la espalda; **5.** Las caderas.

Transcripción del audio:

Luis, director de cine: «Me encantan los pies y los zapatos. Son una obsesión para mí».

Marta, estudiante: «Yo, cuando conozco a un chico, me fijo en sus ojos y en sus manos porque puedo saber si es sincero en sus ojos y en sus manos...».

Claudia, agente de modelos: «Nosotros miramos mucho si tienen los tobillos finos, que es muy importante para ser modelo».

Elena, abogada:	«Me gustan los brazos fuertes y las espaldas anchas en un hombre, pero no con demasiados músculos».
Sergio, camarero:	«A mí me gusta ver cómo mueven las caderas las chicas cuando bailan».

2) Aprende a explicar cómo te sientes

a. y b. Una vez vistas las partes externas del cuerpo informa a tus estudiantes de que vamos a dar un paso más y conocer las partes internas más importantes. Para ello, pide que relacionen los bocadillos de texto con la explicación de los síntomas que sufren las tres personas con las imágenes. Luego, hazles algunas preguntas para dirigir su comprensión, como *¿Por qué tiene manchas en la piel?* o *¿Qué ha comido?* Pídeles luego que subrayen las formas del verbo *doler* y que completen el esquema. A partir de estas situaciones, realiza un trabajo inductivo. Haz ver a tus estudiantes que se forma como el verbo *gustar*. Puedes apuntar que en español se dice «Me duele la cabeza» y no *«Me duele mi cabeza». Pide que digan qué les duele a las personas de las imágenes (**b**). Como complemento, puedes pedirles que realicen la actividad 4 del cuaderno de ejercicios.

Soluciones: **a.** a-bocadillo naranja; b-bocadillo azul; c-bocadillo verde.

DOLER: a mí me; a ti/vos te; a usted/él/ella le; a nosotros/as os; a vosotros/as os; a ustedes/ellos/as les + duele + la espala o + duelen + los pies.

b. a. Le duele la pierna/rodilla; **b.** Le duele la espalda; **c.** Le duele el cuello; **d.** Le duele el estómago.

3) Aprende a dar consejos y remedios

a. y b. Ahora que tus estudiantes son capaces de expresar cómo se sienten, vamos a ver cómo pueden aconsejar a personas que tienen algún problema de salud. Para tal fin, pide que relacionen los síntomas con los consejos. Explica el significado de los síntomas (*estresado, alergia, estreñido, diarrea, resfriado, constipado*) y asegúrate de que lo entienden bien para poder relacionarlos con los consejos que se dan (**a**). Esta actividad servirá para introducir las formas de dar consejo que se sistematizarán y pondrán en práctica en **b**. Como complemento, puedes pedirles que realicen la actividad 5 del cuaderno de ejercicios.

Soluciones: **a.** 1-c; 2-d; 3-a; 4-e; 5-b.

b. 1. Doctor, quiero adelgazar un poco/Bueno, **debe(s)** comer con más orden y **tiene(s)** que andar una hora al día; **2.** Tengo problemas para respirar últimamente/Creo que **debe(s)** dejar de fumar inmediatamente; **3.** Ahora que empieza el verano, ¿qué recomendaciones me puede dar para los niños?/Para los niños y para todos. **Hay** que beber mucha agua. Es muy importante.

4) Informa: Tu historial médico

Es el momento de utilizar todo lo aprendido, especialmente todo el vocabulario relacionado con el cuerpo y la salud. Para evitar que pueda resultar intrusiva esta actividad, comienza informando tú de tu historial médico, con información básica, real o inventada.

Paso 2 | Desenvuélvete en la consulta

Objetivos
- Que sean capaces de desenvolverse en la consulta del médico.
- Que aprendan a dar y recibir consejos e instrucciones con imperativo.

1) Aprende a explicar enfermedades

a., b. y c. Para que tus estudiantes entren en contacto con el tema, propón esta primera secuencia de actividades en la que les pedirás que ordenen el diálogo de un paciente con su médico (**a**) y, posteriormente, que realicen un trabajo con el vocabulario nuevo (**b**), asociando las imágenes con los diálogos. Una vez realizada esta toma de contacto, tus estudiantes tendrán un modelo de conversación entre médico y paciente. Puedes extraer del modelo los recursos comunicativos más frecuentes (las preguntas que suele hacer el médico, especialmente) y dejarlos reflejados en la pizarra, lo que será de gran utilidad para la realización de la actividad de comprensión auditiva (**c**) que se propone a continuación, en la que se reutilizará el vocabulario, y con la situación comunicativa con la que estamos trabajando. Como complemento, puedes pedirles que realicen la actividad 9 del cuaderno de ejercicios.

Soluciones:	**a.** El orden correcto es: 5-6-3-4-1-2.
	b. a. fiebre; **b.** jarabe; **c.** pastillas; **d.** gripe.
	c. 1. Se ha fracturado la pierna; **2.** Va a estar dos meses de baja; **3.** Escayolar – Rehabilitación.

Transcripción del audio:

- Hola, ¿cómo se encuentra?

- Me duele mucho la pierna, doctor, creo que está rota.

- ¿Qué ha pasado?

- Un choque durante un partido de fútbol.

- Vamos a ver... Sí, en efecto, tiene una fractura en la pierna. Tenemos que hacerle una radiografía para ver cómo es la fractura.

- De acuerdo, doctor.

- Ya tengo su radiografía. En efecto, tiene una fractura en la pierna…, pero es una fractura limpia, tiene suerte.

- Ah, qué bien.

- Sí. Ahora hay que colocar el hueso y escayolar la pierna.

- ¡Vaya! ¿Y durante cuánto tiempo no puedo jugar al fútbol?

- Tienes que estar dos meses sin jugar.

- ¡Oh, no! Voy a perderme la final del campeonato.

- Lo siento. Y después debes hacer ejercicios de rehabilitación.

- ¿Qué es eso, doctor?

- Son unos ejercicios para recuperar la movilidad en la pierna. Es importante porque durante un mes no vas a poder moverla nada.

- Madre mía, qué mala suerte...

- Bueno, ahora solo hay que pensar en la salud...

(2) — **Aprende el imperativo**

a., b. y **c.** El segundo bloque pretende que tus estudiantes aprendan el imperativo y para conseguirlo se presentan tres situaciones que ya les son familiares (en la consulta del médico), lo cual será de gran ayuda para la comprensión del significado de la nueva forma verbal (**a**). Tras la presentación del imperativo regular, pide que traten de deducir la morfología del imperativo (**b**). Llama la atención a dos aspectos que les serán de utilidad:

- Para tener la forma *vosotros* del imperativo, solo tengo que cambiar la *-r* del infinitivo por *-d*. Por ejemplo, *comprar > comprad*.

- Para tener la forma *ustedes* del imperativo, solo tengo que añadir una *-n* a la forma de *usted*. Por ejemplo, *compre* (usted) > *compren* (ustedes).

Una ver deducida la forma, es el momento de ponerla en práctica en otras situaciones similares a las que hemos visto en este paso. Pide que, además de completar con la forma adecuada del verbo, traten de identificar las situaciones y digan con quién se encuentra cada paciente. Puedes ayudarles poniendo en la pizarra los nombres de algunos profesionales de la medicina, entre los que se encuentran los que corresponden a las situaciones de la actividad:

médico nutricionista	oculista	fisioterapeuta	traumatólogo
enfermera	dentista	médico de medicina general	ginecólogo

Como complemento, puedes pedirles que realicen las actividades 6, 7 y 8 del cuaderno de ejercicios.

Soluciones: **a.** DESCANSAR: descansa, descanse, descansad, descansen; BEBER: bebe, beba, bebed, beban; ESCRIBIR: escribe, escriba, escribid, escriban

b. SER: sé, sea, sed, sean; HACER: haz, haga, haced, hagan; TENER: ten, tenga, tened, tengan; PONER: pon, ponga, poned, pongan; DECIR: di, diga, decid, digan; OÍR: oye, oiga, oíd, oigan; SALIR: sal, salga, salid, salgan; IR: ve, vaya, id, vayan; DAR: da, dé, dad, den; VER: ve, vea, ved, vean.

c. **1.** Señores, **den** un paseo después de comer para ayudar a hacer la digestión; **2.** Don José, **haga** ejercicio porque necesita perder unos kilos; **3. Escribe** aquí tu datos personales mientras esperas; **4. Ten(ga)** paciencia. De momento no podemos ver si el bebé es niño o niña; **5.** Un momento, señor, **ponga** el brazo hacia arriba un momento; **6. Oiga** usted el sonido de los pulmones al respirar. Eso es una bronquitis; **7.** Ahora **mire** aquí y **diga** las letras que puede ver; **8.** Bueno, Jaime, **ve** al especialista esta semana para saber su opinión.

3 ⏱ (Simula: Desenvuélvete en la consulta del médico)

Para utilizar todo lo aprendido, propón esta actividad de simulación por parejas. Dependiendo del número de tus estudiantes y, en consecuencia, de parejas que vayan a hacer la actividad, introduce algunos matices que eviten la repetición de la actividad. Para ello, prepara unas tarjetas en las que se indiquen las especialidades de los médicos en cuya consulta van a tener que realizar la simulación tus estudiantes. Puedes usar las mismas que antes: *médico nutricionista, oculista, dentista, traumatólogo...* Pide que cada pareja saque una tarjeta. Deberán realizar la tarea de simulación con un trabajo más exigente y específico, eligiendo los recursos comunicativos y el contenido léxico apropiado a la situación.

Paso 3 | Prepara un botiquín

Objetivos

- Que puedan comprender la información del prospecto de un medicamento.
- Que conozcan los nombres de los medicamentos básicos y de las cosas que se pueden comprar en una farmacia para atender a problemas de salud cotidianos.
- Que sean capaces de desenvolverse en una farmacia, pidiendo consejo, explicando síntomas y realizando actividades transaccionales.

1 ⏱ (Entiende la información de un prospecto médico)

a. y b. Esta primera secuencia tiene un doble objetivo: por una parte, que tus estudiantes se familiaricen con el tipo de texto informativo de un prospecto de una medicina (secciones, vocabulario específico, tipo de redacción) y puedan interpretarlo; por otra parte, que sigan ampliando el vocabulario relacionado con la salud. Para alcanzar ambos fines, propón la actividad de lectura y comprensión (**a**) y la búsqueda de las palabras nuevas en el texto (**b**). Para ampliar, puedes preguntar si suelen leer los prospectos o prefieren preguntar al médico y/o al farmacéutico. Pregunta si en sus países es habitual ir a la farmacia y consultar al farmacéutico antes que ir al médico o si suelen hacer caso a los consejos de amigos y familiares a la hora de tomar una medicina.

Soluciones: **a.** **1.** Puedes tomar cuatro comprimidos al día, uno cada seis horas; **2.** Si tomas más pastillas de las indicadas, debes ir inmediatamente al médico; **3.** No dice si puedes tomar aspirinas en el séptimo mes de embarazo, solo en el tercero, por lo que debes consultarlo el médico; **4.** Debes tomar los comprimidos disueltos en agua y después de las comidas; **5.** No es un medicamento propio para el dolor de estómago, sino para el dolor en general y la fiebre.

2 ⏱ (Descubre los nombres de los medicamentos)

a. y b. Para seguir profundizando en el tema y ampliando el vocabulario de los medicamentos básicos, propón esta sucesión de actividades: primero, pide que identifiquen los medicamentos en la imagen (**a**) y, posteriormente, pide que los utilicen para completar los textos (**b**). Puedes pedir que hagan una descripción de los medicamentos o que los asocien en grupos según su utilidad. Para ello, puedes poner en la pizarra estas categorías:

Para una gripe　　　　Para una infección　　　　Para una herida

Como complemento, puedes pedirles que realicen las actividades 10 y 11 del cuaderno de ejercicios.

> **Soluciones:** **a.** **1.** Algodón; **2.** Termómetro; **3.** Pomada; **4.** Antibiótico; **5.** Jarabe; **6.** Alcohol; **7.** Yodo; **8.** Tiritas; **9.** Aspirinas.
>
> **b.** He tenido un accidente con la bicicleta y tengo una herida en la mano. Voy a limpiar la herida con algodón, alcohol y yodo. Además, estoy un poco resfriada, creo que tengo fiebre y necesito un termómetro para comprobarlo. También he comprado un jarabe para la tos y unas aspirinas porque me duele la cabeza. Creo que es gripe.

(3) ⸺ **Aprende a manejarte en una farmacia**

a. y **b.** En la tercera fase, propón esta actividad de simulación en una farmacia (**b**), pero antes pide que realicen una lectura comprensiva de los diálogos para que identifiquen la situación comunicativa de cada caso (**a**). Como en otras ocasiones, la lectura e interpretación les aportará los recursos comunicativos adecuados para que se desenvuelvan con éxito en estas situaciones. Como preparación previa, puedes pedirles que realicen la actividad 12 del cuaderno de ejercicios.

> **Soluciones: a.** 1-Compra con receta; 2-Pide consejo al farmacéutico; 3-Pregunta la forma de uso de un medicamento.

(4) ⸺ **Soluciona: Prepara el botiquín**

Para utilizar todo lo aprendido en el paso 3, sugiere esta actividad integradora. Primero, deberán elegir una de las tres situaciones propuestas y, hecho esto, tendrán que preparar la lista de medicamentos que llevarían en el botiquín y que, muy importante, justifiquen su elección y su decisión.

Paso 4 | Repasa y actúa: Una vida saludable

Objetivos

- Que repasen y practiquen todos los contenidos vistos en el módulo.
- Que sean capaces de integrarlos a fin de realizar con éxito una tarea final: escribir un artículo para una revista dando consejos para llevar una vida saludable.

En el paso 4 se propone una revisión de lo aprendido en los tres primeros pasos, así las actividades invitan a recordar y practicar los contenidos ya vistos y se da un paso más en algunos casos, por ejemplo:

1.a. Donde se presenta en vocabulario de los cinco sentidos.

3.c. Donde se practica la estructura condicional *si* + presente, presente.

3.d. Donde se presenta el vocabulario de los accidentes domésticos.

> **Soluciones: 1.a. a.** orejas; **b.** ojos, la vista; **c.** nariz, el olfato; **d.** boca, lengua, el gusto; **e.** manos, piel, el tacto.
>
> **b.** **1.** La cabeza; **2.** El cuello; **3.** El brazo; **4.** El tobillo; **5.** El pie; **6.** La rodilla; **7.** El dedo; **8.** La mano; **9.** El pecho; **10.** La garganta.
>
> **2.a.** **1.** Tengo una herida en la mano y **me duele** mucho; **2.** Mi mamá tiene fiebre y **le duele** la garganta; **3.** Hemos caminado mucho esta tarde, **nos duelen** los pies; **4.** He dormido muy mal. La cama era muy incómoda y **me duele** la espalda; **5.** ¿Estás mejor? ¿**Te duele** el cuello hoy?
>
> **b.** 1-d; 2-b; 3-e; 4-a; 5-c.
>
> **c.** **1.** Puede tener gripe; La madre va a llamar al médico; **2.** Van a nadar; Carlos practica deporte porque le duele la espalda y Juan, porque quiere perder kilos y quiere tener brazos y piernas fuertes; **3.** Tiene que comprar un jarabe; La farmacia está muy cerca.
>
> **3.a.** PENSAR: piensa, piense, pensad, piensen; PEDIR: pide, pida, pedid, pidan; DORMIR: duerme, duerma, dormid, duerman; CONDUCIR: conduce, conduzca, conducid, conduzcan; COGER: coge, coja, coged, cojan; SEGUIR: sigue, siga, seguid, sigan; BUSCAR: busca, busque, buscad, busquen; PAGAR: paga, pague, pagad, paguen;

EMPEZAR: empieza, empiece, empezad, empiecen; CONSTRUIR: construye, construya, construid, construyan.

b. 1. **Coja** usted un número y **espere** su turno; 2. ¿La oficina de turismo? Sí, **mire, siga** por esta calle y, al final, hay una plaza, **cruce** la plaza y allí está; 3. **Tengan**, sus billetes. Buen viaje; 4. **Tomad. Leed** estos informes atentamente y **diseñad** un plan de acción; 5. **Ve** a la panadería y **compra** una barra de pan y un litro de leche; 6. **Conduzcan** con precaución, esta carretera no es muy buena; 7. **Descansad.** Hoy ha sido un día muy duro; 8. **Firma** aquí; 9. Por favor, **haz** la compra. Ya no tenemos nada en el frigorífico; 10. **Sepa** que en esta casa vivió Picasso.

d. Quemaduras, en la cocina, una sartén con aceite caliente en el fuego; cortes, en el baño, algunos tarros de perfume rotos en el suelo; intoxicaciones, en la cocina, varios productos de limpieza junto a alguna bebida; caídas, en la escalera, objetos en las zonas de paso.

Transcripción del audio:

1. - No me encuentro bien.

   - ¿Qué te pasa?

   - Me duele mucho la cabeza.

   - A ver... ¡Uy! Parece que tienes fiebre. Hay que llamar al médico.

   - También me duele la garganta.

   - Puede ser gripe. Hoy tienes que quedarte en la cama, no debes salir a la calle.

   - Sí. Creo que es lo mejor.

2. - ¡Carlos! ¡Qué sorpresa!

   - ¡Juan! ¿Cómo estás? ¿Qué haces por aquí?

   - Vengo a la piscina desde hace dos meses. Me duele la espalda y el médico me ha dicho que debo practicar natación. ¿Y tú?

   - Hoy es mi primer día. Quiero practicar deporte porque estoy un poco gordo y, además, quiero tener brazos y piernas fuertes.

   - ¡Ah! Pues yo te veo muy bien... ¿Qué días vienes?

   - Martes y jueves.

   - ¡Igual que yo!

3. - ¡Qué tos tengo!

   - Has cogido frío. Tienes que ir a la farmacia a por un jarabe.

   - ¿Dónde está la farmacia más cercana?

   - Está muy cerca, por aquella calle.

   - De acuerdo. ¿Y cómo se llama el jarabe ese?

   - No sé, pídele uno al farmacéutico.

Acción

En esta tarea tus estudiantes debe demostrar que ha adquirido y asimilado los contenidos vistos a lo largo del módulo. Para ello, propón la lectura del *e-mail* que nos envía una amiga y pide que cada estudiante elija uno de los temas que propone esa amiga para el artículo que nos pide que escribamos. Pregunta si se les ocurre algún tema más relacionado con la salud del que les gustaría escribir. Puedes pedirles que te envíen por correo electrónico su texto.

Infórmate y conoce los medios de comunicación

OBJETIVOS GENERALES

- Que tus estudiantes sean capaces de explicar cómo se informan de las noticias de actualidad y que conozcan la prensa española.
- Que puedan narrar acontecimientos pasados e informar de noticias actuales.
- Que se desenvuelvan en una conversación y en una entrevista.

El recorrido hacia la meta (acción):

Paso 1	Paso 2	Paso 3	Paso 4
▸ Conoce las características de un periódico	▸ Conoce el pretérito perfecto simple	▸ Conoce el vocabulario de la radio y la televisión	▸ Repasa los contenidos de los pasos 1, 2 y 3
▸ Descubre la prensa española	▸ Cuenta la noticia del día	▸ Descubre formas irregulares del pretérito	**Acción**
▸ Aprende las expresiones para valorar	▸ **Soluciona: Participa en una conversación**	▸ **Simula: Haz una entrevista**	▸ Prepara las noticias y tu telediario
▸ **Informa: ¿Qué tipo de prensa lees?**			

Paso 1 | Informa: La prensa y tú

Objetivos

- Que aprendan a hablar de los tipos y características de la prensa escrita.
- Que conozcan la prensa española: títulos, tipos de publicación, periodicidad, etc.
- Que sean capaces de opinar y valorar los diferentes tipos de publicaciones.

(1) Conoce las características de un periódico

a., b. y c. Tras la actividad **a**, es muy importante que tus estudiantes justifiquen sus respuestas: el título, la periodicidad, el formato, el precio, el tema, etc., ayudan, de una u otra forma, a identificar si es un periódico o una revista. De los textos de **a** podrán extraer las palabras para completar **b**. Pide que amplíen el esquema con otras palabras que conozcan o que quieran conocer: otras secciones, otras periodicidades... Entonces es el momento de utilizar en contexto el vocabulario aprendido. La característica fundamental que diferencia un periódico de una revista es su periodicidad. Para aprender a expresar la frecuencia amplíala preguntando qué actividades cotidianas suelen hacer con cada frecuencia. Por ejemplo, ir al gimnasio, comer fuera de casa, limpiar la casa o la habitación, cocinar, ir a clase de español... Como complemento, puedes pedirles que realicen la actividad 1 del cuaderno de ejercicios.

> **Soluciones:** **a.** *Hoy* es un periódico y *Tendencias XXI* es una revista.
>
> **b.** En frecuencia faltan diario y mensual; en Secciones, deporte, cultura, sociedad.
>
> **c.** 1-a-IV; 2-d-III; 3-b-II; 4-e-I; 5-c-V.

(2) Descubre la prensa española

Pide que justifiquen sus decisiones, extrayendo la mayor información posible de las portadas de los periódicos y revistas. Pregunta por las publicaciones de sus países que se podrían corresponder con las españolas presentadas. Como complemento, puedes pedirles que realicen la actividad 2 del cuaderno de ejercicios.

> **Soluciones:** 1-Periódico nacional; 2-Revista de historia; 3-Revista del corazón; 4-Periódico nacional; 5-Revista de cine; 6- Periódico deportivo; 7-Revista del corazón; 8-Revista de informática.
>
> **b.** 1-c; 2-b; 3-Porque quiere conocer los resultados de la Liga (de fútbol); *Clío* trata de historia y de la actualidad general.

Transcripción del audio:

1. - ¿Me puedes pasar el periódico, Marta?
   - ¿Cuál, *El País*?
   - Sí, me gusta leer periódicos nacionales porque escriben periodistas buenísimos. ¿Tú lees el periódico todos los días?
   - Sí, pero normalmente leo prensa local.
   - ¿Por qué?
   - Primero, porque me interesa más lo que pasa en mi ciudad y, segundo, porque los periódicos nacionales no son objetivos...

2. - Ay, hija, cómprame el *Hola*.
   - Pero, abuela, ¿cómo lees estos cotilleos?
   - Pues porque conocer la vida de los famosos me entretiene. Anda, tráemelo.

3. - Vamos al quiosco, por favor.
   - ¿Qué vas a comprar, el periódico?
   - No, no... no tengo tiempo de leer el periódico todos los días. A veces leo el *Marca* los lunes en la cafetería mientras desayuno, para saber los resultados de la Liga.
   - ¿Entonces?
   - Compro todos los meses *Clío*, que es de historia y actualidad general.

Idea 2.0
Prensa internacional Kiosko

En esta ocasión, no es un servicio o una herramienta 2.0, sino una página que te permitirá presentar las portadas de todos (o casi todos) los periódicos nacionales y las revistas temáticas que se publican en el mundo. Al mismo tiempo, tus estudiantes pueden utilizar la página para presentar las publicaciones más importantes de su país, informando de su ideología, su periodicidad, su temática, etc., ya que podemos encontrar, perfectamente clasificadas por zonas geográficas, una enorme cantidad de periódicos y revistas del mundo.

http://kiosko.net

③ Aprende las expresiones para valorar

Amplía esta actividad con preguntas sobre la prensa en papel o la prensa en Internet. Te proponemos algunas preguntas para el debate:

a) *¿Prefieres leer el periódico por Internet o en papel?*

b) *¿Y revistas?*

c) *¿Pagas por leer algún periódico por Internet? ¿Crees que debe ser gratis la prensa on-line?*

d) *¿Crees que en el futuro pueden desaparecer los periódicos en papel?*

Como complemento, puedes pedirles que realicen la actividad 3 del cuaderno de ejercicios.

Soluciones:	A mí me aburre(n)..., no me interesa(n)..., a mí me divierte(n)..., me parece(n) muy..., a mí me parece una..., a mí me gusta(n)...

④ Informa: ¿Qué tipo de prensa lees?

Es el momento de proponer que utilicen todo lo aprendido para construir un discurso propio sobre sus hábitos de lectura de prensa.

Paso 2 | Soluciona: Intervén en una conversación

Objetivos

- Que puedan narrar acontecimientos pasados.
- Que sean capaces de informar de noticias actuales.
- Que aprendan a desenvolverse en una conversación informal utilizando recursos comunicativos para reaccionar, pedir aclaraciones, afirmar o negar, etc.

① Conoce el pretérito perfecto simple

a., b. y c. La primera secuencia parte de una entrevista (**a**) que servirá para que tus estudiantes se den cuenta de que se habla en pasado con un tiempo verbal nuevo, el cual deberán ser capaces de sistematizar en **b**. Haz que caigan en la cuenta de ello durante la realización de **a**. Una vez realizada la primera aproximación al pretérito perfecto simple y la sistematización del paradigma de los verbos regulares, propón que practiquen completando estos textos sobre Luis Buñuel. Por si te sirve de ayuda, te recordamos que Buñuel es unos de los directores más originales de la historia del cine de origen español, grabó la mayoría de sus películas en México y, luego, en Francia y su película más conocida, adscrita al movimiento del surrealismo, es *Un perro andaluz.*

Como complemento, puedes pedirles que realicen las actividades 5, 6 y 7 del cuaderno de ejercicios.

> **Soluciones:** **a.** 1-b; 2-c; 3-a.
>
> **b.** TRABAJAR: trabajé, trabajaste, trabajó, trabajamos, trabajasteis, trabajaron; CONOCER: conocí, conociste, conoció, conocimos, conocisteis, conocieron; DECIDIR: decidí, decidiste, decidió, decidimos, decidisteis, decidieron.
>
> **c.** Luis Buñuel **nació** en 1900. En 1908 **descubrió** el cine y **cambió** su vida. Entre 1917 y 1925 **vivió** en Madrid. Allí **conoció** a Dalí y a Lorca. Un años después, en 1926, se **inscribió** en la Academia de Cine y en 1929 **rodó** la película *Un perro andaluz* en colaboración con Dalí.
>
> Tras la Guerra Civil, se **exilió**, pero lo **invitaron** a trabajar en España. En 1961 **rodó** la película *Viridiana*, probablemente la mejor película de la historia del cine español. **Ganó** el Festival de Cannes y el Gran Premio del Humor Negro de París, pero el Gobierno de Franco la **censuró** y el Vaticano la **calificó** como «inmoral y blasfema». En España se **vio** por primera vez en 1977, dos años después del fin de la dictadura.

② Cuenta la noticia del día

a. y b. La actividad **a** tiene como objetivo que tus estudiantes conozcan las partes de una noticia a fin de poder reproducirlas en **b**.

> **Soluciones:** Antetítulo: La gente esperó más de una hora para comprar las entradas; Titular: El Museo del Prado inauguró una exposición sobre Velázquez; Pie de foto: Entrada principal al Museo del Prado; Entradilla o noticia, el resto del texto.

③ Soluciona: Participa en una conversación

a. y b. El objetivo de esta última secuencia del paso 2 es que tus estudiantes se familiaricen con la forma de participar en una conversación en español y con españoles. Antes de poner la audición, pregunta cuáles son los problemas más frecuentes que tienen cuando hablan con españoles (hablan muy rápido, hablan todos al mismo tiempo sin respetar los turnos de palabra...). Este breve intercambio de experiencias facilitará la comprensión de la audición, en la que se habla del tema. Probablemente tendrás que poner la audición dos veces para que puedan responder a las preguntas. Comenta si están de acuerdo o no con lo que han escuchado y pasa a la última actividad. Antes, explica el significado de las expresiones del cuadro de apoyo.

> **Soluciones: a. 1.** Le sorprende que los españoles interrumpan cuando otros hablan, piensa que son poco respetuosos; **2.** El español piensa que cuando los extranjeros se quedan callados es porque son fríos y no les interesa lo que están contando; **3.** Los españoles interrumpen para mostrar que les interesa lo que están contando; **4.** Los extranjeros se quedan callados por respeto y por educación.

Transcripción del audio:

- A mí me sorprende de los españoles que no dejan hablar a los demás, que interrumpen constantemente que...
- ¿Qué quieres decir? No es verdad. Mira, nosotros sí dejamos hablar, pero es que vosotros os quedáis callados.
- Sí, pero...
- Es que a mí me molesta mucho vuestra actitud, sois muy fríos, no decís nada cuando una persona habla.
- Claro es que, por educación, le dejamos terminar antes de decir nada. Vosotros sois muy poco respe...
- No, no, si tienes razón, pero no es que seamos maleducados, es que queremos mostrar interés. Si nos quedamos sin decir nada, parece que no nos interesa lo que dice, ¿no?

World Press es una plataforma de acceso a las versiones digitales de los periódicos de todo el mundo, entre ellos, naturalmente, a una gran cantidad de periódicos nacionales, regionales y locales de los países hispanos. Propón que cada estudiante escoja un país y un periódico. Deja unos minutos para que se familiaricen con la versión digital del periódico y reconozcan sus secciones. Después, pide que accedan a una noticia que les parezca interesante y dejen un comentario. Si lo prefieres, puedes escoger previamente tú el periódico que quieres que lea cada estudiante, bien uno por país o todos del mismo país. Puedes también elegir una misma noticia para que la lean en diferentes medios.

http://www.theworldpress.com/prensa/prensamundo.htm

Paso 3 | Simula: Haz una entrevista

Objetivos

- Que aprendan el vocabulario básico sobre la radio y la televisión.
- Que puedan narrar acontecimientos pasados.
- Que aprendan a desenvolverse en una entrevista.

Conoce el vocabulario de la radio y la televisión

a. y b. Con el principio de «aprender haciendo», propón a tus estudiantes que completen el cuestionario (**a**) sobre sus hábitos como telespectadores y como radioyentes, del cual irán extrayendo el léxico que después (**b**) tendrán que clasificar en categorías.

c. y d. Para completar esta secuencia, esta actividad busca practicar la comprensión auditiva y el mecanismo de interpretación al tiempo que aprenden y utilizan un vocabulario nuevo: los tipos de programas de radio (**c**). Aprovecha para profundizar en los intereses y hábitos de tus estudiantes en relación a este medio haciéndoles preguntas e invitándoles a que reutilicen el vocabulario aprendido, mejoren su expresión oral y hablen de su experiencia: *¿qué escuchan en la radio?, ¿les parece un medio de comunicación rápido y eficaz?, ¿cuál es el medio de comunicación que prefieren?, ¿escuchan la radio por Internet?, ¿qué medio prefieren para... escuchar música, informarse de la actualidad, etc.?* Propón una segunda audición (**d**) en la que se trabajará la comprensión, más allá de la interpretación ya realizada. Como complemento, puedes pedirles que realicen la actividad 9 del cuaderno de ejercicios.

Soluciones: **b.** Radio: emisora, noticias, programa, radioyente, audiencia; Televisión: canal, noticias, programa, telespectador, serie.
  c. 1-Debate político; 2-Crítica de cine; 3-Programa musical; 4-retransmisión deportiva; 5-Noticias; 6-Entrevista.
  d. 1. La oposición política criticó al presidente del gobierno; **2.** Las primeras películas de Alejandro Amenábar pertenecen al género del terror o del suspense; **3.** Hace veintiséis semanas que Amaral llegó al número 1 de ventas; **4.** El futbolista no consiguió el gol; **5.** El año pasado llegaron 56 000 000 de turistas a España; **6.** El colaborador estuvo en Centroamérica, en Nicaragua y El Salvador.

Transcripción del audio:

1. - Sin duda, el presidente del gobierno está sufriendo el acoso de la oposición política.

 - No lo creo. Sus últimas decisiones fueron correctas. Se puede comprobar que siempre piensa lo que hace y lo consulta con sus asesores.

 - Hombre, tú sabes que eso no es verdad. El mes pasado, los sindicatos lo dijeron cuando la nueva ley de trabajo, lo repitieron los partidos nacionalistas cuando el debate de los presupuestos...

 - Según las últimas encuestas, el presidente del gobierno ha bajado tres puntos en intención de voto y...

2. Si este fin de semana quieres ir al cine, tienes que saber que ayer se estrenó la última película del famoso director Alejandro Amenábar. En esta nueva película intenta divertir a los espectadores y no asustarles como hizo en sus últimos filmes, cuando quiso poner en tensión a toda la audiencia con sus magníficos *thrillers*...

3. Amaral, el grupo que supo revolucionar la música española, se puso número uno de las listas de ventas hace ya 26 semanas y continúa ahí, rompiendo todos los récords. Esta que escuchas es su nueva canción y suena muy bien. Seguro que será un número 1 muy pronto...

4. El portero saca de portería. El balón lo recibe Fran, el nuevo fichaje del equipo, lo hace bien, pasa el balón al capitán que esquiva a uno, dos, ¡tres! defensas, va hacia la portería, se acerca, mira a su lado, no hay nadie, está solo, sigue corriendo, chuta y.... ¡¡fuera!! Saque de puerta.

5. Buenos días, son las nueve de la mañana y hace un día muy soleado. Titulares: Hoy, hemos sabido que España fue el país más visitado durante el año pasado. En total, vinieron cerca de 56 millones de turistas buscando la cultura, el sol y las fantásticas playas españolas. El presidente del gobierno recibió ayer al primer ministro francés en el Palacio de la Moncloa para hablar del empleo, la economía y la relación entre los dos países. En los deportes, el Real Madrid volvió a ganar su partido de ayer y está mucho más cerca de ganar el campeonato.

6. Hoy tenemos en el estudio a un integrante de la ONG Médicos del Mundo que fue en una reciente misión humanitaria a África.

   - Hola.

   - Hola, ¿qué tal?

   - Imagino que es difícil olvidar esta experiencia, ¿no?

   - Sí, sí. Sin duda. Pero esta no ha sido la primera vez. Estuve en Centroamérica con otros colaboradores tras el huracán que destruyó gran parte de Nicaragua y El Salvador a finales de los años 90...

(2) Descubre formas irregulares del pretérito

a. y b. Tras la presentación de la forma del pretérito perfecto simple de estos verbos irregulares (**a**), pide que completen el texto con la forma correcta de los verbos en ese tiempo (**b**). Recuérdales que es el tiempo en el que se narran acontecimientos pasados como, por ejemplo, las noticias en la prensa. Como complemento, puedes pedirles que realicen la actividad 10 del cuaderno de ejercicios.

Soluciones: **a.** Yo: dije, tuve y traje; Tú, vos: estuviste; Él, ella, usted: dijo, tuvo y anduvo; Nosotros/as: trajimos y tuvimos; Vosotros/as: estuvisteis; Ellos/as, ustedes: dijeron y anduvieron.

b. Cuando **llegué** a España, **busqué** a otros compatriotas e **intenté** mantener mis costumbres, las comidas de mi tierra, la música que me gusta…, pero **fue** difícil al principio. Hasta que un día un amigo me **invitó** a visitar el Centro Cultural de la Américas. Allí alguien **pensó** en poner Internet para escuchar las radios de todos los países latinoamericanos. **Fue** una idea magnífica… a veces un poco polémica, pero siempre divertida. Recuerdo que un día un amigo me **dijo** un poco nervioso: «A las nueve **llegó** Edel y **puso** Radio Rebelde de Cuba. Cuando **fue** a pedir un café, **llegaron** los chilenos y **cambiaron** la emisora y Edel **tuvo** que esperar pacientemente y tomarse el café escuchando las noticias chilenas. Después, las niñas mexicanas **pidieron** cambiar a Radio Central y **dijeron** que había un programa especial sobre Luis Miguel y los boleros…». ¡Madre mía! No recuerdo cuándo tiempo **estuvimos** así, contando todos los cambios de emisora…

(3) Simula: Haz una entrevista

Antes de proponer la realización de la actividad, puedes proyectar algún fragmento de alguna entrevista de televisión que encuentres en Internet a algún personaje conocido. Proyéctala sin voz y pregunta de qué creen que están hablando, qué creen que le pregunta el entrevistador en función de la reacción del entrevistado, etc. Esto servirá para contextualizar y para dar ideas.

Paso 4 | Repasa y actúa: Prepara las noticias

Objetivos

- Que repasen y practiquen todos los contenidos vistos en el módulo.
- Que sean capaces de integrarlos a fin de realizar con éxito una tarea final: preparar e informar de las noticias de actualidad.

En el paso 4 se propone una revisión de lo aprendido en los tres primeros pasos, así las actividades invitan a recordar y practicar los contenidos ya vistos y se da un paso más en algunos casos, por ejemplo:

2. Donde se amplía el vocabulario de los medios de comunicación.

3. Donde se presenta y se practica el vocabulario básico de la informática e Internet.

Soluciones: 1.a. 1. Ayer **compraste** un diccionario de español; **2.** La semana pasada mi hermano **entrenó** todos los días en la piscina; **3.** Mi mamá **cocinó** una tortilla de patatas anoche; **4.** El año pasado **vivimos** en Córdoba; **5.** El martes pasado **escribí** un correo electrónico a mi profesor; **6.** Hace dos años **comiste** paella por primera vez; **7.** Ayer **conocisteis** a mi novia, ¿verdad?

b. Verdadero, falso, verdadero.

2.a. 1. Noticias; **2.** Dibujos animados; **3.** Una película o una serie; **4.** Una retransmisión deportiva (de un partido de fútbol).

b. 1. ¿Has visto el **periódico** hoy? Viene una noticia muy interesante sobre el presiente del país; **2.** ¿Sueles leer muchos periódicos? No, me gustan más las **revistas**; **3.** Es una revista **semanal**, sale todos los lunes; **4.** Hoy el periódico trae una **noticia** sorprendente sobre el campeonato de liga; **5.** Lo que más me gusta del periódico es la **sección** de economía, así puedo saber cómo están mis acciones; **6.** Antonio, bajo un momento al **kiosco** de la esquina para comprar el periódico.

c. 1-c; 2-a; 3-b; 4-b.

3. Me encanta **navegar** por Internet. Todos los días paso varias horas delante de mi **portátil**. Lo primero que hago es entrar en Facebook, la **red social** más famosa del mundo, para ver qué han hecho mis amigos, leer lo que han escrito en mi muro, felicitar los cumpleaños o ver las fotos y dejar comentarios. Después leo algunos periódicos y visito algunas **páginas web** que me interesan sobre mis temas favoritos: libros, viajes y deporte. También consulto mi **correo electrónico**. Una vez a la semana escribo algo en mi *blog* o subo algunas fotos.

Transcripción del audio:

- ¿Sabes qué pasó ayer?
- No. ¿Qué ocurrió?
- ¿No? Salió en las noticias de la tarde.
- Pero ¿qué pasó?
- Ayer, estuvo el presidente del gobierno en nuestra ciudad.
- ¡Ah! Sí, sí. Lo escuché en la radio. Fue mucha gente a verlo, ¿no?
- Sí, nosotros también fuimos.
- ¿De verdad?
- Hicimos miles de fotos. Pasó muy cerca de nosotros.
- ¡Qué suerte!
- Mira, mira esta foto que me hizo mi hermana.
- A ver...

Acción

En esta tarea tus estudiantes deben demostrar que han adquirido y asimilado los contenidos vistos a lo largo del módulo y, para ello, organiza la clase en grupos para que preparen el noticiero del día con una noticia política, una noticia cultural, una noticia económica y una noticia deportiva. Puedes pedirles, además, que introduzcan alguna noticia más sobre los compañeros, sobre el profesor o sobre el centro donde estudian español. Dales tiempo para que busquen información en Internet y redacten las noticias. Organiza un lugar de la clase (tal vez la mesa del profesor) en la que se sentará(n) el(los) presentador(es) para dar las noticias. Si tienes posibilidad y recursos, puedes grabar en vídeo a cada grupo y visualizarlos más tardes y comentarlos.

Encuentra trabajo en un país hispano

OBJETIVOS GENERALES

- **Que tus estudiantes sean capaces de elaborar su currículum vítae.**
- **Que aprendan a interpretar las ofertas de trabajo y realizar los trámites para presentar su candidatura a un empleo.**
- **Que conozcan algunas empresas españolas y algunas características del mundo del trabajo en España: vacaciones, tipos de contrato, jornada laboral...**
- **Que puedan desenvolverse en una entrevista de trabajo.**

El recorrido hacia la meta (acción):

Paso 1	Paso 2	Paso 3	Paso 4
▸ Conoce el vocabulario para rellenar un currículum	▸ Familiarízate con las formas de buscar empleo	▸ Descubre el mundo del trabajo en España	▸ Repasa los contenidos de los pasos 1, 2 y 3
▸ Aprende a informar sobre ti cuando buscas empleo	▸ Comprende el vocabulario de las ofertas de empleo	▸ Cuenta tu experiencia laboral	**Acción**
▸ Comprende las recomendaciones de un profesional	▸ **Soluciona: Analiza ofertas de trabajo y consulta dudas**	▸ **Simula: En una entrevista de trabajo**	▸ Elige una oferta
▸ Informa: Tu currículum vítae			

Paso previo

Si te parece adecuado, antes de entrar propiamente en materia, proyecta o presenta los cinco documentos con los que se abre el módulo y pide a tus estudiantes que los identifiquen: hay dos anuncios de trabajo, una empresa de contratación por Internet, un currículum vítae y una carta de presentación. Como verá, los textos no se pueden leer, solo se trata de que los identifiquen por el formato.

Paso 1 | Informa: Tu currículum vítae

Objetivos

- Que aprendan los nombres de las secciones de un currículum vítae.
- Que comprendan las ofertas de empleo y sean capaces de completar un formulario con los datos requeridos en las ofertas de trabajo.
- Que aprendan a hablar de cualidades.
- Que puedan elaborar su currículum vítae en español.

 Conoce el vocabulario para rellenar un currículum

a. El currículum vítae es un tipo de documento conocido ya por tus estudiantes por lo cual vamos a partir de su propia experiencia, pidiendo que ordenen las secciones del currículum y, posteriormente, que ubiquen los datos en la sección correspondiente (**a**). Pregunta si en su currículum vítae tienen alguna sección más o qué otros datos podrían clasificarse en los apartados dados.

b. y **c.** Una vez analizadas las secciones del currículum vítae, propón a tus estudiantes que lean con atención la oferta de trabajo y, en parejas, que analicen a los tres candidatos y, en función de su perfil académico y profesional, decidan cuál es el mejor candidato para el puesto (**b**). En un segundo momento, pide que cada pareja se una con otra y vean si están de acuerdo y, si no, que cada pareja justifique sus razones y lleguen a un acuerdo (**c**). Como complemento, puedes pedirles que realicen la actividad 1 del cuaderno de ejercicios.

Soluciones: **a.** Datos personales (2, 10)– Formación académica (9, 11)– Formación complementaria (1)– Experiencia laboral (3, 7)– Informática (4, 8, 12)– Idiomas (5, 6).

2. Aprende a informar sobre ti cuando buscas empleo

a. Explica que el currículum vítae no es la única forma de presentar la candidatura a un empleo, como tus estudiantes ya sabrán. Hay empresas que disponen de un formulario con los datos que les interesan, por ejemplo las empresas de trabajo temporal. Propón completar este formulario, en el que tendrán que reutilizar el vocabulario aprendido.

b. y **c.** A partir de la sección del currículum vítae en el que el candidato expone sus cualidades personales y aptitudes profesionales, se presenta la formación de los adverbios en *-mente* (**b**) y se propone su ejercicio de práctica (**c**) que recomendamos que lo hagan de forma individual. Como complemento, puedes pedirles que realicen la actividad 2 del cuaderno de ejercicios.

Soluciones: **b.** Rápidamente –de modo rápido; especialmente– de forma especial.

c. Soy muy claro y me gusta hablar **directamente** con mis compañeros y clientes; Cuando negocio, prefiero cerrar **totalmente** una venta antes de informar a los jefes; Tengo **aproximadamente** 2 000 horas de experiencia en clase; Cuando hay problemas en la clase, me gusta hablar **tranquilamente** con los alumnos y no imponer mi autoridad por la fuerza; Me integro **fácilmente** en equipos de trabajo, nunca he tenido problemas. Además, hablo inglés, alemán y ruso **prácticamente** como un nativo.

---

3. Comprende las recomendaciones de un profesional

a. y **b.** Además de la actividad de comprensión auditiva (**a**) y de reflexión, para que tus estudiantes propongan el empleo adecuado para cada persona (**b**), puedes proponer una nueva audición de los tres diálogos para que tus estudiantes extraigan las frases con las que los orientadores de empleo hacen sus propuestas: *¿has pensando en trabajar en...?, ¿por qué no buscamos algo ...?, ¿has probado en...?, puede ser un buen momento para...*

Soluciones: Aconseja a Carlos trabajar a un banco; Recomienda a Ana ser guía turística; Sugiere a Carmen actuar en teatro.

Transcripción del audio:

1. - Vamos a ver, Carlos. Has estudiado Económicas, ¿verdad?
   - Sí, en Barcelona. Y he hecho prácticas en tres empresas como contable.
   - ¿Has pensado trabajar en un banco?
   - Bueno, no sé…

2. - Ana, ¿hablas idiomas?
   - Sí. Español, inglés, alemán e italiano.
   - ¿Has tenido alguna experiencia profesional?
   - Bueno, he dado clases privadas a niños y jóvenes.
   - ¿Te gusta la enseñanza?
   - Sí…, pero quiero hacer otra cosa.
   - ¿Por qué no buscamos algo relacionado con el turismo?
   - Sí, ese sector me interesa mucho.

3. - Carmen, veo en tu currículum que trabajaste el año pasado en televisión.
   - Sí, como actriz en una serie juvenil.
   - ¿Has probado en teatro?
   - Sí, pero no estoy cómoda en directo todavía… necesito más experiencia.
   - Puede ser un buen momento para probar en el cine…
   - Uhmmm… ¿usted cree?

---

4. Informa: Tu currículum vítae

Es el momento de que cada estudiante prepare su currículum vítae en español. Para ello, puedes utilizar los fragmentos de currículum vítae y las recomendaciones propuestas para recordar todo lo visto en el paso 1, y así refresquen y unifiquen todos los contenidos que deben usar para realizar esta tarea.

Paso 2 | Soluciona: Analiza ofertas de trabajo

Objetivos

- Que conozcan las formas de buscar empleo.
- Que comprendan las ofertas de empleo y el léxico propio de las mismas.
- Que sean capaces de formular preguntas para solucionar las dudas que tengan sobre las ofertas de empleo, sobre sus características y las condiciones del trabajo.

① Familiarízate con las formas de buscar empleo

a. y b. El punto de partida de este paso es una propuesta para que tus estudiantes compartan su opinión acerca de los procesos de búsqueda de empleo (**a**) a partir de su experiencia. Esta primera parte se complementa con una actividad en la que deberán ordenar los pasos para buscar empleo (**b**). Pregunta, para ampliar y profundizar, si han tenido alguna experiencia con alguna de estas formas de buscar trabajo o cómo accedieron a su primer o a su último empleo. Como complemento, puedes pedirles que realicen la actividad 3 del cuaderno de ejercicios.

> **Soluciones: b.** Leer una oferta en el periódico – Enviar el CV – Concertar una entrevista – Pasar una entrevista de trabajo – Discutir las condiciones – Firmar el contrato.

② Comprende el vocabulario de las ofertas de empleo

a. y b. Propón esta secuencia de actividades en las que tus estudiantes aprenderán palabras nuevas relacionadas con las ofertas de empleo. En los textos de **a** deberán marcar las palabras que no entiendan. Pide que traten de averiguar su significado por el contexto, fijándose en la respuesta de cada término o expresión. De ese modo, le ayudaremos a que desarrollen esa estrategia de aprendizaje. Seguramente serán las palabras que en **b** tendrán que relacionar con sus definiciones.

c. y d. La segunda parte de este bloque persigue que tus estudiantes sigan practicando y familiarizándose con el nuevo léxico por medio de una actividad de comprensión auditiva (**c**) y una actividad de ampliación de expresión oral (**d**) a partir de la anterior. Como complemento, puedes pedirles que realicen las actividades 4 y 5 del cuaderno de ejercicios.

> **Soluciones: b.** 1-f; 2-d; 3-g; 4-a; 5-b; 6-c; 7-e.
>
> **c. OFERTA 1** Puesto: Responsable de *marketing*; Funciones: Promoción internacional y seguimiento de los clientes; Salario: Sueldo fijo más incentivos; Jornada de trabajo: Completa, Fecha de inicio: Enero; Lugar de trabajo: Barcelona. **OFERTA 2** Puesto: Informático; Funciones: Mantenimiento de los equipos; Salario: 720 euros al mes; Jornada de trabajo: Media jornada, Fecha de inicio: El próximo mes; Lugar de trabajo: Madrid. **OFERTA 3** Puesto: Dos comerciales; Funciones: Visitar los clientes en España; Salario: 1 300 euros al mes más comisiones por ventas; Jornada de trabajo: Completa, Fecha de inicio: Noviembre; Lugar de trabajo: Málaga.

Transcripción del audio:

1. - Bueno, Miguel, tenemos que hablar de los nuevos productos.
   - Sí. Yo creo que necesitamos un responsable de *marketing*. Para la promoción internacional y el seguimiento de los clientes.

- Sí. Hay que publicar la oferta en Internet: jornada completa y fecha de inicio en enero, ¿no?
- ¿Y salario? ¿Sueldo fijo más incentivos por objetivos?
- Vale. Para trabajar en nuestra sede de Barcelona, pero tendrá que viajar, al menos, 140 días al año...

2. - Necesitamos un informático para la oficina de aquí, de Madrid.
   - Sí, pero a media jornada. Sobre todo para hacer mantenimiento de los equipos.
   - Media jornada... de 9:00 a 14:00.
   - Vamos a ofrecerle 720 euros al mes porque queremos un informático bueno... y lo necesitamos ya, para empezar el próximo mes.

3. - Y también necesitamos dos comerciales, para visitar a los clientes aquí en España.
   - Tomo nota para publicar el anuncio.
   - Jornada completa en la sede central de Málaga, sueldo base 1300 euros, más comisiones por ventas, y para empezar en noviembre.
   - Muy bien.

Idea 2.0
Me apunto a una oferta de empleo Infojobs

Infojobs es el portal líder de ofertas de empleo en España. Los usos que se pueden hacer de este portal son muchos, pero nos interesan tres:

1) Acceso a ofertas de empleo reales que se presentan de modo descriptivo y muy claro.

2) Posibilidad de darse de alta como candidato a las ofertas que nos interesen.

3) Creación del propio perfil (currículum vítae) en la plataforma.

Propón a tus estudiantes que se registren en este portal y se den de alta en alguna oferta que les resulte interesante, tras analizarla con los parámetros que hemos visto en este paso 2.

http://www.infojobs.net

 3 | **Soluciona: Analiza ofertas de trabajo y consulta dudas**

a. El último bloque propone dotar a tus estudiantes de los recursos para resolver dudas acerca de una oferta de empleo. Para ello, sugerimos una primera parte (**a**) en la que deberán relacionar las situaciones con el mejor modo de realizar la consulta. Haz ver las diferencias entre las dos opciones que se dan en cada caso (que pueden ser léxicas –durar/tardar–, de registro –formal/informal– o de significado –correspondencia de pregunta/respuesta–). Pregunta si se les puede plantear alguna duda más sobre una oferta de trabajo y, por medio de preguntas dirigidas, trata de encontrar la(s) forma(s) más adecuada para resolverlas.

b. y **c.** Una vez hecho esto, tus estudiantes dispondrán de las herramientas para realizar con éxito la tarea de **c** a partir de la opción elegida en **b**.

Soluciones: a. 1-a; 2-c; 3-d; 4-f.

Paso 3 | Simula: En una entrevista de trabajo

Objetivos

- Que aprendan los hábitos laborales más comunes en España.
- Que amplíen sus recursos léxicos para hablar de las condiciones de un empleo y de las características de los contratos de trabajo.
- Que sean capaces de narrar una sucesión de acontecimientos haciendo referencia a acciones que dan comienzo, se terminan o se interrumpen y se retoman o se repiten.
- Que puedan desenvolverse en una entrevista de trabajo.

1 Descubre el mundo del trabajo en España

a. Tras todo lo visto en los pasos 1 y 2 sobre la búsqueda de empleo, es momento de invitar a tus estudiantes a que conozcan algunas características del mundo del trabajo y los hábitos laborares de España. Para ello, propón que digan –según sus conocimientos previos, su experiencia, su intuición...– si las afirmaciones de **a** son verdaderas o falsas. Pídeles que, además, den una explicación o propongan una alternativa correcta a las frases que señalen como falsas. Después, haz una puesta en común y un debate sobre las respuestas en las que no coincidan todos, sin desvelar la solución.

b. y **c.** La comprobación de las respuestas a la actividad **a** las deben encontrar tus estudiantes en los textos de **b**. Textos que, gracias a las preguntas propuestas en **c**, servirán para hablar del tema contrastando los hábitos laborales de España con los de los países de tus estudiantes y dar la opinión de cuáles considera cada uno que son mejores y por qué.

Soluciones: a. Verdaderas: La jornada laboral es de 40 horas semanales; No es normal incluir las cualidades personales (capacidad de trabajo en grupo, curioso, puntual, etc.) en el CV, normalmente se informa de ellas en la entrevista o en la carta de presentación; La mayoría, en especial los jóvenes, son mileuristas, es decir, que ganan más o menos 1 000 euros al mes; En la entrevista de trabajo, siempre se habla de *usted* al entrevistador. Falsas (entre paréntesis la información correcta): El sueldo se cobra semanalmente, no mensualmente como en otros países (Lo normal es cobrar a final del mes trabajado); En la mayoría de los trabajos, hay 6 semanas de vacaciones al año (Lo normal es un mes –cuatro semanas y dos días– o 22 días laborales de vacaciones al año); Si te quedas sin trabajo, puedes cobrar el desempleo como máximo 3 años (el máximo son 2 años).

2 Cuenta tu experiencia laboral

a. Antes de poner la audición de la entrevista de trabajo, revisa con tus estudiantes las expresiones del cuadro. Pide que las clasifiquen en dos grupos: puedes proyectar o escribir en la pizarra esta tabla:

Información que da el candidato en su currículum vítae	Información que se pide en una entrevista

Este trabajo ayudará a tus estudiantes en su proceso de comprensión ya que activará los mecanismos de reconocimiento.

Transcripción del audio:

- ¿Dónde estudió?
- Me licencié en Relaciones Internacionales en la Universidad de Valencia y después hice un máster en *Marketing* Digital en la Universidad Autónoma de México.
- ¿Y por qué le interesa este puesto de trabajo?
- Creo que es una empresa que va a ser importante en poco tiempo, sus productos me gustan y pienso que puedo aportar mucho al desarrollo de las estrategias de *marketing* por Internet.
- ¿Tiene alguna experiencia laboral parecida a esta?
- He desarrollado las campañas de *marketing* de varias empresas de viajes y de una conocida marca de ropa deportiva.
- Supongo que habla inglés.
- Sí. También alemán. Y estudio chino desde hace un año y medio.
- ¿Tiene algún problema para viajar? En este puesto de trabajo hay que viajar mucho al extranjero.
- No, en absoluto.

b. Tras este primer contacto con la entrevista de trabajo, pregunta cuáles son para ellos las preguntas que consideran más difíciles o más delicadas en esta situación. Pregunta los motivos por los que creen eso: *¿son preguntas incómodas porque social o culturalmente no se habla de ello (por ejemplo, del sueldo)?, ¿son preguntas complicadas porque no sabemos qué espera el entrevistador que respondamos? ¿Les han hecho alguna pregunta extraña o delicada en una entrevista de trabajo? ¿Qué respondió?*

c. Las perífrasis verbales se presentan en el contexto de narración de acciones que dan comienzo, se terminan o se interrumpen y se retoman o se repiten, lo que ayudará a tus estudiantes a identificar las explicaciones del cuadro con su significado correspondiente. Aprovecha para presentar algunos conectores discursivos para cohesionar el discurso (tanto oral, en la entrevista de trabajo, como escrito, en la carta de presentación que será la Acción final de este módulo). Como complemento, puedes pedirles que realicen las actividades 6 y 7 del cuaderno de ejercicios.

> **Soluciones:** **a.** Se habla (en orden de aparición) de: los estudios del candidato, los intereses profesionales, la experiencia laboral, los idiomas que habla y la disponibilidad para viajar.
>
> **c.** En el restaurante **empiezo a** trabajar en junio (cuando empieza la temporada alta) y trabajamos hasta septiembre. Después **vuelvo a** trabajar en Navidad y en Semana Santa, cuando hay más turismo; En 1998 nació mi hijo y **dejé de** trabajar. Tres años más tarde **empecé a** buscar para **volver a** trabajar, pero no encontré nada interesante y **empecé a** estudiar. Ahora **acabo de** abrir mi propia empresa por Internet.

(3) ⏱ ┤ **Simula: En una entrevista de trabajo**)

a., b., c. y d. Antes de entrar propiamente en las actividades, te sugerimos que realicéis la actividad 8 del cuaderno de ejercicios. Entonces es el momento de poner en práctica todo lo trabajado en este paso 3. Para ello, indica las partes que se van a seguir en este proceso:

a. Identificar las preguntas de una entrevista de trabajo. Pide que digan en qué situaciones pueden utilizarse las otras preguntas que no corresponden a una entrevista de trabajo.

b. Reutilizar las preguntas de **a** y de **3.a.** y **3.b.** para preparar una batería de preguntas de una entrevista de trabajo para el puesto escogido. Haz ver que hay preguntas generales que tienen cabida en cualquier entrevista de trabajo, pero que hay otras que deberán redactar ellos conforme al empleo concreto que hayan escogido.

c. La actividad de simulación se realizará en dos momentos, alternando los roles.

d. Finalmente, cada estudiante rellenará una ficha de evaluación del candidato, según la actitud y las respuestas dadas por el compañero-candidato.

Paso 4 | Repasa y actúa: Elige una oferta

Objetivos

- Que repasen y practiquen todos los contenidos vistos en el módulo.
- Que sean capaces de integrarlos a fin de realizar con éxito una tarea final: escribir la carta de presentación.

En el paso 4 se propone una revisión de lo aprendido en los tres primeros pasos, así las actividades invitan a recordar y practicar los contenidos ya vistos.

> **Soluciones: 1. a.** **1.** Esta tarde no voy a salir porque tengo que escribir mi **carta de presentación**, ya que he visto en el periódico algunos trabajos que me interesan; **2.** Me han llamado esta mañana para citarme para una **entrevista de trabajo** porque he sido uno de los seleccionados para el puesto de jefe de ventas; **3.** Estoy pensando si aceptar la oferta porque me han ofrecido solo **media jornada** y no se gana mucho en esas condiciones; **4.** Me ha gustado el tercer candidato porque es **creativo** y parece que tiene capacidad de liderazgo. ¿Qué piensas?
>
> **b.** **Horizontales: 1.** Desempleado; **2.** Trabajo; **3.** ETT; **4.** Sueldo; **5.** Jornada; **6.** Licenciado. **Verticales: 1.** Empresa; **2.** Experiencia; **3.** Puntual; **4.** Entrevista; **5.** Oferta; **6.** Paro.
>
> **c.** Corresponden a una entrevista de trabajo: **1** (hablan de la experiencia laboral del candidato) y **3** (hablan de la disponibilidad para viajar del candidato). No corresponden: **2** (hablan de los resultados del campeonato de la liga de fútbol), **4** (ya está contratado y hablan el primer día de trabajo del organigrama de la empresa) y **5** (hablan de qué van a hacer en vacaciones).

2. a. Frecuentemente, educadamente, correctamente, lentamente, gravemente, rápidamente, claramente, sinceramente.

b. 1. Está afectado **gravemente** desde el accidente; **2.** El niño habló **educadamente** con sus profesores; **3.** El profesor lo dijo **lentamente**, sin prisa, con mucha paciencia; **4.** No me gusta ir con Marta porque conduce **rápidamente**; **5.** Nosotros vamos al cine **frecuentemente**, casi todas las semanas; **6.** Han respondido **correctamente** a todas las preguntas del examen; **7.** Habló **sinceramente** y todos creyeron en él; **8.** No entiendo lo que dice porque no lo explica **claramente**.

3.   1. Acabo de llegar a la oficina, pero no hay nadie; **2.** El próximo lunes **empiezo a** trabajar en la oficina de turismo; **3.** El año pasado **dejé de** ir a clases de francés y he olvidado mucho. Creo que voy a **volver a** empezar este curso.

Transcripción del audio:

1. - Dígame, ¿tiene experiencia en este tipo de puesto de responsabilidad?
   - Sí. He sido coordinador de un equipo de 35 personas en otra compañía aérea.

2. - ¿Cómo ves el final de la liga?
   - Bueno, creo que todavía hay posibilidades de conseguir el título. Hay dos puntos de diferencia y jugamos dos partidos en casa. El equipo está fuerte...

3. - Usted sabe que, si finalmente llegamos a un acuerdo, tendrá que estar fuera de España, al menos, 150 días al año... ¿Tiene disponibilidad para viajar?
   - Absolutamente. Además, estoy acostumbrado a hacerlo. Siempre lo he hecho en mis anteriores trabajos.

4. - Y usted, ¿tiene alguna pregunta?
   - Bueno, sí... no tengo claro el organigrama general de la empresa y de qué departamento depende mi puesto de trabajo.

5. - ¿Y qué vais a hacer en vacaciones?
   - Pues todavía no lo sabemos. Victoria quiere ir otra vez a Roma, pero yo prefiero conocer otro lugar... no sé, por ejemplo, Estocolmo...

Acción

En esta tarea tus estudiantes deben demostrar que han adquirido y asimilado los contenidos vistos a lo largo del módulo. Les pediremos que lean la carta de presentación y que traten de identificar las partes de las que se compone haciendo hincapié en las fórmulas hechas (estructura de remitente y destinatario, colocación de la fecha, fórmula de despedida, etc.). A continuación, te recomendamos que realicen la actividad 11 del cuaderno de ejercicios. Después, cada estudiante deberá escoger una de las ofertas de empleo que han aparecido en todo el módulo o, si lo prefieren, inventar una o utilizar alguna que hayan visto en Infojobs. Hecha toda esta labor previa, es el momento de que escriban su carta de presentación.

Módulo **12**

Comunícate

OBJETIVOS GENERALES

- **Que tus estudiantes conozcan las diferentes formas de comunicarse y sean capaces de hablar de sus preferencias sobre las mismas.**
- **Que puedan diferenciar las acciones habituales de las que están ocurriendo en el momento de hablar.**
- **Que aprendan a desenvolverse en conversaciones telefónicas.**
- **Que sean capaces de hablar de costumbres en el pasado.**

El recorrido hacia la meta:

Paso 1	Paso 2	Paso 3	Paso 4
▶ Habla de tus hábitos de comunicación	▶ Desenvuélvete en una conversación telefónica	▶ Aprende a describir y hablar de costumbres en el pasado	▶ Repasa los contenidos de los pasos 1, 2 y 3
▶ Aprende a decir lo qué está pasando en este momento	▶ Aprende a hablar de móviles	▶ Aprende a contar tus recuerdos	**Acción**
▶ **Informa: Tus hábitos en Internet**	▶ **Soluciona: Elige la forma de comunicarte**	▶ Diferencia hechos de situaciones	▶ Escribe en tu *blog*
		▶ **Simula: Cuenta una experiencia**	

Paso 1 | Informa: Tus hábitos en Internet

Objetivos

- Que conozcan las formas de comunicación y las califiquen.
- Que aprendan a hablar de las actividades habituales que se hacen en la red.
- Que sean capaces de hablar de acciones que están ocurriendo en el momento de hablar y las diferencien de las acciones habituales.
- Que sean capaces de hablar de sus hábitos en Internet.

1 — Habla de tus hábitos de comunicación

a. y b. Parte de la experiencia de tus estudiantes sobre sus hábitos de comunicación para presentar el nuevo léxico, tanto el de las formas de comunicarse (**a**) como el de los adjetivos para calificar cada una (**b**). En primer lugar, pregunta cuál es el medio que prefieren para realizar cada tarea (y para otras actividades que suelen hacer) y, en el segundo momento, pide que asignen uno o varios adjetivos a cada uno de los medios, según su opinión, sus gustos y el uso que hacen de cada medio. Para ampliar, pregunta si piensan que sus padres, por ejemplo, tienen la misma opinión que ellos y propón que establezcan diferencias entre los medios de comunicación actualmente y en el pasado. Es probable que tus estudiantes necesiten referirse a algunos componentes físicos del ordenador durante este paso, por lo que proponemos la realización –cuando se considere adecuado– de las actividades 1 y 2 del cuaderno de ejercicios.

c. Tras el trabajo con el nuevo vocabulario (**a** y **b**), para afianzarlo, propón la lectura del texto. Puedes empezar con alguna pregunta de calentamiento, de contextualización y de activación de conocimientos. Por ejemplo: *¿de qué piensan que trata el texto?, ¿por qué?* Seguramente conozcan Twitter, así que puedes preguntar si lo usan, si conocen a alguien que lo use, por qué son usuarios o no lo son, etc. Una vez comentadas estas preguntas u otras, procede a la lectura del texto. Cada estudiante puede leer una parte y, al final, deja unos minutos para que cada uno responda si son verdaderas o falsas las afirmaciones sobre el texto. Si lo prefieres, puedes dejar las preguntas anteriores para después de la lectura del texto, según el conocimiento del tema que tengan tus estudiantes o de cuántos usuarios de Twitter haya en clase.

> **Soluciones: c.** Falsos: a, b, c y f; verdaderos: d y e.

Idea 2.0
Mantenerse informado Twitter

Propón a tus estudiantes que no tienen cuenta en Twitter que se la abran y la utilicen durante una semana como fuente de información. Para ello, pide que sigan a los medios de comunicación españoles más importantes:

- Periódicos información general:
  @el_pais
  @elmundoes
  @abc_es
  @publico_es
  @larazon_es
  @lavanguardia

- Periódicos deportivos:
  @marca
  @diarioas
  @mundodeportivo
  @diario_sport

- Emisoras de radio:
  @La_SER
  @cope_es
  @OndaCero_es
  @ABCPuntoRadio

- Canales de televisión:
  @RTVE
  @antena3com
  @telecincoes
  @practica_cuatro

Además de hacerse seguidor de estos medios de comunicación, deberán compartir las noticias que más les interesen comentándolas (por medio de la opción de Retweet) con el resto de la clase (usando el *hashtag* elegido por el profesor).Como forma de ampliar, puedes animarles a que sigan a personajes públicos hispanos que sean de su interés y traten de interactuar con ellos: deportistas (**@RafaelNadal, @fernandoalonso_, @paugasol**...), cantantes (**@SHAKIRA, @juanes, @julietav, @paurubio, @alejandrosanz**...), actores y directores de cine (**@ijustpenelope, @Almodovar_news**), etc.

http://twitter.com

(2) Aprende a decir lo que está pasando en este momento

a. y **b.** El texto sobre Twitter anticipa, de algún modo, el contenido gramatical que se presenta en este segundo bloque, ya que es muy frecuente que los *tweets* sean del tipo «Empezando la semana con una reunión», «Llegando al cine para ver la última peli de Tarantino» y similares. La actividad de comprensión auditiva (**a**) será el primer contacto con la nueva forma verbal que se sistematizará y practicará en **b**. Como complemento, puedes pedirles que realicen las actividades 3 y 4 del cuaderno de ejercicios.

Soluciones: **a.** 1-5, Están terminando la tarta porque a las seis vienen sus amigos a la fiesta; 2-3, Está buscando unos papeles porque mañana tiene una reunión; 3-4, Está repasando los verbos porque mañana tiene un examen; 4-1, Se está poniendo la corbata porque va a una entrevista de trabajo; 5-2, Está buscando en Internet alojamiento en Granada porque se va a hacer un curso.

b. **1.** Luis, ¿**estás oyendo** las noticias?; **2.** No entiendo lo que **está diciendo** Ricardo porque **está hablando** y **está riendo** al mismo tiempo; **3.** Mario **está durmiendo**, creo que no se encuentra bien; **4.** ¿Qué **estás leyendo**, Irene?; **5.** Enfrente de mi casa **están construyendo** una biblioteca pública.

Transcripción del audio:

1. - ¿A qué hora van a llegar tus amigos?
   - A las seis.
   - Vale, la tarta está casi terminada.

2. A ver, es que no encuentro nada y mañana tengo que entregar el informe.

3. - ¿Cómo llevas el examen de mañana?
   - Creo que bien, pero voy a repasar los verbos.

4. ¿Dónde está mi corbata azul? A las 12:00 voy a una entrevista de trabajo muy importante y es mi mejor corbata.

5. El mes que viene hay un curso muy interesante en Granada y quiero ir si encuentro billetes de tren baratos.

(3) Informa: Tus hábitos en Internet

a. y **b.** Para poner en práctica todo lo visto en este paso 1, pide que cada estudiante complete la tabla sobre sus hábitos en Internet (**a**). De ese modo, podrán elegir la mejor oferta, de entre las cuatro propuestas, para sus características y sus necesidades (**b**). Puedes aprovechar la tabla de **a** para comentar en grupo las costumbres en la red de cada uno, ampliar las actividades propuestas con otras que suelen hacer tus estudiantes (jugar, escuchar música *on-line*, ver películas, realizar descargas, comprar, etc.), opinar sobre el tiempo que dedica a Internet cada persona...

Objetivos

- Que aprendan a desenvolverse en una conversación telefónica tanto en una situación formal como informal.
- Que sean capaces de describir y de hablar de hábitos del pasado.
- Que aprendan a hablar con propiedad de las características básicas de un teléfono móvil.

1 ──(**Desenvuélvete en una conversación telefónica**)

a. Para capacitar a tus estudiantes a desenvolverse en conversaciones telefónicas en diferentes situaciones y registros, comienza aclarando las expresiones del cuadro. Una vez hecho esto, tus estudiantes se sentirán más seguros y, sobre todo, con todas las herramientas necesarias para afrontar la actividad de comprensión auditiva. Pon la audición dos veces. Después, puedes pedir que clasifiquen las conversaciones en estos tres grupos:

No es posible la conversación que quiere la persona que llama	Es una conversación formal	Es una conversación informal

Transcripción del audio:

1. El número marcado está apagado o fuera de cobertura...

2. - ¿Diga?
   - Hola, ¿está Ángel?
   - No, lo siento.
   - Ah, ¿no está en casa?
   - No, es que aquí no vive ningún Ángel.
   - Ah, perdón.

3. - ¿Sí?
   - Ramón, soy Juanma.
   - Hola, dime.
   - Es para recordarte la cena de mañana.
   - Sí, sí, no te preocupes...

4. - ¿Dígame?
   - ¿Julia?
   - No, soy Andrés. Julia no se puede poner.
   - ¿Quién eres?
   - Soy Ana.
   - Pues ella te llama ahora.
   - Vale, vale. Gracias.

5. No contestan.

6. Está ocupado (comunicando).

7. - Óptica General, buenos días.
   - Buenos días, ¿la señorita González, por favor?
   - En este momento no se puede poner.
   - ¿Y sabe cuándo puedo hablar con ella?
   - Ya después de comer... sobre las cinco.

b. y **c.** Ahora es el momento de reflexionar sobre los recursos que se utilizan en español en las conversaciones telefónicas. Para ello, pon de nuevo la audición y pide que se fijen en cuáles son las frases hechas que se usan en cada una de las funciones propuestas y que completen la tabla (**b**). Esta tabla será la referencia que deberán usar para completar las conversaciones telefónicas de **c**.

Soluciones: **a.** 1-b; 2-g; 3-d; 4-c; 5-a; 6-f; 7-e.

    b. **Responder e iniciar la conversación:** ¿Diga?; ¿Sí?; Dígame; Óptica general, ¡buenos días!, Óptica general, dígame.

    Preguntar por alguien: Hola, ¿está Ángel?; ¿La señorita González, por favor?; ¿Puedo hablar con la señorita

González? **Responder afirmativamente:** Sí, soy yo; Sí, un momento, ahora se pone; Sí. Espere un momento, por favor; Sí, ahora le paso. **Responder negativamente:** No, lo siento; Está ocupado; En este momento no se puede poner; Lo siento, ahora no está disponible. **Preguntar la identidad de quien llama:** ¿Quién eres?; ¿De parte de quién?; ¿Quién le llama?; ¿Quién le digo que ha llamado? **Decir la identidad de quien llama:** Soy Juanma; De parte de Ana; Soy el señor Martín; Le llamo del estudio de arquitectura. **Pedir o dar otra información:** ¿Va a volver pronto?; Ella le llama ahora; Pues llamo más tarde; ¿Sabe cuándo puedo hablar con ella?; ¿Le puedo dejar un recado? **Despedirse y terminar la conversación:** Gracias, hasta luego; De acuerdo. Muchas gracias.

(2) Aprende a hablar de móviles

Esta actividad busca que tus estudiantes amplíen su repertorio léxico para poder desenvolverse en conversaciones básicas sobre telefonía móvil. A partir del contexto, tus estudiantes deben ser capaces de extraer el significado de las palabras y expresiones. Para ampliar, una vez hecha la actividad, haz algunas preguntas sobre sus hábitos de uso del teléfono móvil: si lo usan mucho o poco, si prefieren un móvil con conexión a Internet o uno más básico, qué compañía usan y por qué, si consideran que es muy cara la telefonía móvil en relación a los servicios que prestan, etc.

Soluciones: Contrato-Se paga por banco una cantidad de dinero fija; Tarjeta prepago-Cuenta en la que se paga por anticipado una cantidad de dinero que se puede gastar; Operador-Empresa de telefonía y/o Internet; Pantalla táctil-Puedes manejar el dispositivo electrónico sin botones; Cobertura-Área geográfica en la que puedes llamar con tu móvil; Saldo-Cantidad de dinero que tienes en tu tarjeta.

(3) Soluciona: Elige la forma de comunicarte

a. y **b.** Antes de realizar la actividad (**b**) se presentan ocho situaciones en las que es necesario el uso de alguno de los medios de comunicación que hemos visto (**a**). Tus estudiantes deben elegir cuál es el más apropiado a su juicio y explicar por qué. Naturalmente, no hay una respuesta correcta, todo depende de cómo sea capaz de justificar su respuesta cada uno. Deja unos minutos para que, individualmente, tomen sus decisiones. Después, propón que, en parejas, se pongan de acuerdo explicándose mutuamente los motivos. En un último momento, haz una puesta en común.

Con la pareja con la que han realizado la actividad **a** deben elegir una situación y representar la conversación telefónica. El trabajo hecho en **a** aportará el léxico y los recursos comunicativos necesarios para desenvolverse en la situación elegida y realizar la simulación. Una de las características que diferencian la conversación telefónica de la conversación cara a cara es la ausencia de información extraverbal, es decir, al no ver a nuestro interlocutor no recibimos datos de sus gestos, de su expresión facial o del movimiento de su manos. Es recomendable aportar este elemento en clase, por lo que puedes poner a cada persona de la pareja fuera del alcance visual del otro. Por ejemplo, haciendo que se siente espalda con espalda o que se sitúen uno a cada lado de una puerta, según la realidad física del aula.

Soluciones: b. En el estanco: Buenas tardes. Dos sellos para Brasil y tres para Inglaterra, por favor. **En una cafetería:** ¿Tenéis Wi-Fi aquí?; ¿Me puedes dar la contraseña? **En la oficina de Correos:** ¿Me puede pesar este paquete?; ¿Cuánto me cuesta enviar esta caja? Tiene que estar en Madrid mañana; ¿Me puede decir la diferencia de precio entre enviarla normal y urgente?; Quiero enviarla por correo certificado, por favor. **En una empresa de mensajería:** ¿Cuánto me cuesta enviar esta caja? Tiene que estar mañana en Madrid; ¿Me puede decir la diferencia de precio entre enviarla normal y urgente?

Paso 3 | Simula: Conversación telefónica

Objetivos

- Que sean capaces de diferenciar hechos de situaciones.
- Que aprendan a narrar acontecimientos pasados: acciones que se suceden, que tienen lugar simultáneamente en el pasado o que se interrumpen.
- Que sepan elegir el modo adecuado de comunicarse en función de la situación, justificar su elección y desenvolverse comunicativamente en cada caso.

Antes de entrar en el paso 3, te recomendamos que pidas a tus estudiantes que realicen previamente las actividades 5, 6 y 7 del cuaderno de ejercicios que son un repaso del pretérito perfecto simple.

Aprende a describir y a hablar de costumbres en el pasado

a. En esta ocasión, partiremos de una primera audición de la conversación telefónica con el objetivo de comprender e identificar a la persona que llama. Esta primera audición servirá, además, para que tus estudiantes entren en contacto por primera vez con un tiempo verbal nuevo de un modo inconsciente. No obstante, será de gran utilidad para el propósito de la segunda parte de la actividad, que no es otro que el de la reflexión sobre la forma y el uso del pretérito imperfecto. La primera parte ayudará indiscutiblemente a la comprensión de la explicación de la forma del tiempo verbal nuevo, ya que desde el primer momento de esta secuencia estamos trabajando con la descripción física de una persona y de unos hábitos pasados.

Transcripción del audio:
- ¿Dígame?
- Hola, ¿señora Gómez?
- Sí, soy yo. ¿Quién es?
- Soy Caroline. De Francia. ¿Me recuerda?
- ¿Caroline?
- Sí, viví en su casa durante cuatro semanas en el verano de 2005.
- ¿Caroline? Uy... son ya muchos estudiantes...
- Yo tenía 19 años. Tenía clases de español por las tardes y por las mañanas hacíamos la compra juntas usted y yo...
- Caroline... ¿tenías el pelo negro y corto...? ¿Y dormías en la habitación del fondo?
- ¡Sí, sí!
- Ay, ay... hija... ahora sí... ¿cómo estás? ¡Cuánto tiempo!
- Muy bien... ¿y usted?
- Bien, bien... me acuerdo que te gustaba mucho mi paella...
- Ay... su paella, ¡qué rica!

b. Esta actividad de práctica de la forma verbal nueva se puede completar pidiendo a tus estudiantes que, además de completar con la forma adecuada del verbo entre paréntesis, señalen los casos en los que hace referencia a costumbres del pasado y los que son descripciones del pasado. De este modo, se centrarán al mismo tiempo en la forma y en el significado. Como complemento, puedes pedirles que realicen la actividad 8 del cuaderno de ejercicios.

Soluciones: **a.** ESTUDIAR: estudiaba, estudiabas, estudiaba, estudiábamos, estudiabais, estudiaban; TENER: tenía, tenías, tenía, teníamos, teníais, tenían; DORMIR: dormía, dormías, dormía, dormíamos, dormíais, dormían.

b. a. Cuando tú **estabas**, también **había** una chica en la casa que se **llamaba** Anaïs y también **hablaba** español muy bien **b.** Me acuerdo de que usted **cocinaba** unas albóndigas buenísimas y que yo **decía** a mis compañeros que **estaba** en la casa de la mejor cocinera de España; **c. Me gustaba** el cuadro que **estaba** en el comedor; **d.** ¿Recuerda usted al señor que **tenía** el pelo corto y rubio, que **llevaba** siempre una camiseta del Real Madrid y que **vivía** en Moscú?

Aprende a contar tus recuerdos

a. y b. Para presentar de modo contextualizado la forma irregular del pretérito imperfecto de los verbos *ser, ir* y *ver*, pon la audición una primera vez y pide que identifiquen qué situaciones describen y cuáles hablan de hábitos del pasado, al tiempo que señalan la imagen que corresponde a la situación (**a**). De ese modo, ayudarás a tus estudiantes a situarse en los usos del pretérito imperfecto y así, en la segunda audición, centrarse únicamente en la morfología, lo que ayudará a completar las frases de la actividad **b**. Si lo ves necesario, puedes proponer ahora la realización de las actividades 5 y 6 del cuaderno de ejercicios para recordar el pretérito perfecto simple. Como complemento, puedes pedirles que realicen la actividad 9 del cuaderno de ejercicios.

Transcripción del audio:

1. La verdad es que el hotel era precioso. Estaba junto a la playa, tenía cuatro piscinas, había actividades organizadas todas las tardes (excursiones, fiestas…) y la gente era muy amable.

2. Todos los jueves iba a comer a casa de mi abuela, que preparaba unos platos riquísimos y muy sanos. Su especialidad era la comida española.

3. En esta foto creo que estábamos en la cafetería de la universidad, ¿no? Esta chica, la morena, era la novia de Andrés, ¿te acuerdas?

(3) Diferencia hechos de situaciones

a., b. y **c.** Antes de pedir a tus estudiantes que realicen la actividad **a**, deberás aclarar el significado de hechos y de situaciones. Puedes plantear una tabla en la pizarra en la que aportéis ejemplos y características de ambos términos. Por ejemplo:

Hecho	Situación
Tiene un principio y un final. Ejemplo: *Ayer fui al cine a las 16:30.*	No tiene principio ni final, son difíciles de determinar o no me interesan. Ejemplo: *Había mucho tráfico en el centro.*
Puedo transformar una descripción en un hecho poniéndole límites temporales. Ejemplo: *De joven me puse muy gordo.*	Una descripción es, en el fondo, una situación... o viceversa. Ejemplo: *La casa estaba junto a la playa.*

Cuando queden claras ambas ideas, pide que realicen la actividad **a** y utilicen los ejemplos en la actividad **b** para completar la explicación. Una vez hecha la fase de presentación y la de reflexión y sistematización, es el momento de la práctica (**c**). Como complemento, puedes pedirles que realicen las actividades 10, 11 y 12 del cuaderno de ejercicios.

(4) Simula: Cuenta una experiencia

Para poner en práctica los contenidos aprendidos en este paso 3, tus estudiantes tendrán que elegir una situación, una forma de comunicarse y redactar el texto.

Paso 4 | Repasa y actúa: Escribe en tu *blog*

Objetivos

- Que repasen y practiquen todos los contenidos vistos en el módulo.
- Que sean capaces de integrarlos a fin de realizar con éxito una tarea final: escribir en un *blog*.

En el paso 4 se propone una revisión de lo aprendido en los tres primeros pasos, así las actividades invitan a recordar y practicar los contenidos ya vistos y se da un paso más en algunos casos, por ejemplo:

1. Donde se presenta la colocación del pronombre reflexivo con gerundio.

3.b. Donde se amplía el vocabulario para hacer descripciones de personas (niños y bebés).

Soluciones: 1. **1.** ¿Qué **están haciendo** María y Carlos?/**Están pidiendo** un plano en una oficina de turismo; **2.** ¿Qué **está construyendo** tu jefe ahora?/Es una ampliación de las oficinas centrales; **3.** ¿Escucháis cómo **se están riendo** los niños?/Sí, **están viendo** unos dibujos animados en la tele; **4.** Gabriel **se está duchando** porque va a salir esta noche; **5.** ¿Por qué está la luz del salón apagada?/Porque Marcos **está durmiendo** la siesta; **6.** Rafa **se está peinado** en el cuarto de baño de arriba, Ana **se está vistiendo** en el cuarto de baño de abajo... ¡y yo necesito ducharme!; **7.** Los niños **se están divirtiendo** mucho esta tarde en la piscina, ¿verdad?

2.a. **1.** ¿Has olvidado la contraseña? Haz clic aquí para recibir un **correo electrónico** con tu nombre de usuario y contraseña; **2.** No te preocupes, abuela, es verdad que es un viaje muy largo, pero te voy a enviar una **postal** cada semana; **3.** Para darse de baja, tiene que enviarnos un **fax** con sus datos personales; **4.** Antonio, ¿puedes decirme el **teléfono** del taller? Quiero saber si está listo el coche; **5.** ¿Tu **móvil** tiene conexión a Internet?

b. **1.** Hola, ¿está Irene?/Sí, un momento **ahora se pone**; **2.** Estudio de fotografía Martín, ¿**dígame**?; **3.** Buenas tardes, ¿puedo hablar con el señor Recio?/Sí, **le paso, un momento**; **4.** Hola, ¿Raúl?/No, lo siento, **se ha equivocado**; **5.** No, en este momento no está, ¿**le quiere dejar un recado**?

3.c. **1.** Su madre hacía una tarta, invitaban a sus amigos del colegio y a sus primos y hacían una fiesta en el patio; Les regalaban ropa y juguetes; **2.** Pasaban la Navidad todos juntos, tíos y primos, en casa; **3.** Iban en un coche todos juntos e iban a una casa que tenían en la playa.

Transcripción del audio:

1. - Papá, ¿cómo celebrabas tu cumpleaños cuando eras pequeño?
 - Uuuuuyyyy... me acuerdo de cuando tenía tu edad... Mi madre, tu abuela, hacía una tarta de chocolate. Invitaba a los amigos del colegio y del barrio y a los primos y hacíamos una fiesta en el patio de la casa.
 - ¿Y te daban los regalos?
 - Bueno, sí... algún regalo me daban... ¡pero no como ahora! Antes casi siempre era algo de ropa o algún juguete, no como vosotros, que recibís videojuegos, ropa, dinero, ordenadores... Era muy diferente, no había tanto dinero... je, je, je.

2. - Abuelo, ¿en Navidad también ibais a esquiar?
 - No, no, no... Cuando yo era pequeño, la Navidad la pasábamos en casa, con todos los tíos y los primos.
 - ¿No ibais de vacaciones?
 - No, no. Estábamos todos juntos en casa. Los niños jugaban, decoraban la casa y escribían la carta a los Reyes Magos. Y se preparaban dulces de Navidad y comidas especiales..., pero nada de viajar, eso es más moderno.

3. - Papá, tienes que contarle a tu nieto cómo eran las vacaciones de verano.
 - Sí, abuelo, cuéntame...
 - Bueno, mira. En verano hacíamos un viaje todos juntos...
 - ¡Igual que nosotros!
 - ¡Ja, ja, ja! Igual no... no íbamos en avión ni a otros países, como vosotros.
 - ¿No?
 - No, no. Íbamos a una casa que teníamos en la playa... y viajábamos todos en el coche... todos, los ocho en el coche... y además, llenos de maletas y de comida.

Acción

En esta tarea tus estudiantes deben demostrar que han adquirido y asimilado los contenidos vistos a lo largo del módulo. Para ello, propón que se redacte la entrada de un *blog*. Comienza proyectando cualquier *blog* que conozcas para identificar sus partes: el título de la entrada, las etiquetas, las imágenes y el texto de la entrada y los comentarios, para que lo tengan como referencia. A continuación, pide que se fijen en las indicaciones y procedan a la redacción.

Idea 2.0
El *blog* de la clase Blogger

Puedes crear un *blog* de clase para que tus estudiantes publiquen los textos que han escrito en la acción final de este módulo. Para ello, puedes elegir la plataforma que más te guste. Como todos tus estudiantes tienen una cuenta de GMail, te sugerimos que crees el *blog* en la plataforma Blogger, ya que si decides hacer el *blog* privado, podrás invitar a los usuarios que tengan cuenta en GMail, como es el caso. Comienza con una lluvia de ideas para el nombre del *blog* y, una vez decidido, entra en Blogger y, en pocos minutos, tendrás el *blog* creado. Procede a dar permiso a tus estudiantes para que publiquen. Una vez publicadas las entradas en el *blog*, puedes proponer la lectura de los textos de los compañeros e invitar a que dejen, al menos, un comentario en cada entrada, expresando su opinión, aportando alguna experiencia o consultando algo al autor.

http://blogger.com

Organiza tus recuerdos y sensaciones

OBJETIVOS GENERALES

- **Que tus estudiantes sean capaces de pedir información sobre vivencias pasadas de las personas con las que hablan.**
- **Que sean capaces de mantener una conversación en español en la que puedan contar experiencias vitales.**
- **Que sean capaces de resolver en español una situación de conflicto.**

El recorrido hacia la meta:

Paso 1	Paso 2	Paso 3	Paso 4
▸ Ponte de acuerdo con las edades	▸ Conoce el concepto de tiempo que tienen los españoles	▸ Aprende a reaccionar en situaciones incómodas	▸ Repasa los contenidos de los pasos 1, 2 y 3
▸ Aprende a hablar de tus recuerdos	▸ Aprende a contar una anécdota y conoce el pretérito pluscuamperfecto	▸ Conoce la forma de contar un suceso	**Acción**
▸ Recuerda los tres pasados que ya conoces		▸ **Soluciona: Pon una denuncia**	▸ Organiza tus recuerdos
▸ **Simula: Un encuentro**	▸ **Informa: Una anécdota divertida**		

Paso 1 | Simula: Un reencuentro

Objetivos

- Que puedan conversar acerca de experiencias vividas en los diversos momentos de sus vidas.
- Que sean capaces de mantener una conversación hablando del pasado.

1 ⏱ (**Ponte de acuerdo con las edades**)

a. Pide a tus estudiantes que expresen su opinión sobre lo que es, para ellos, el mejor momento de la vida y que expliquen por qué lo han elegido. A continuación, puedes preguntar a qué edad se deja de ser joven, esto puede plantear un debate bastante interesante. Para terminar, pídeles que completen la tabla.

b. A modo de calentamiento inicial, cuenta una anécdota personal de tu vida en la que incluyas las palabras sugeridas en la lista. Después, pide que resuelvan el ejercicio y que lo pongan en común con un compañero. No hay una única solución, por lo que tendrán que justificar sus ideas y ponerse de acuerdo. Como complemento, puedes pedirles que realicen las actividades 1, 2 y 3 del cuaderno de ejercicios.

2 ⏱ (**Aprende a hablar de tus recuerdos**)

Explica a tus estudiantes cuáles han sido los acontecimientos más importantes en tu vida. Después, lee con tus estudiantes la lista de acontecimientos para asegurarte de que los comprenden. Ponles el audio para que puedan resolver el ejercicio indicando cuáles de esos acontecimientos son preferidos por el chico o por la chica.

Soluciones:	**ÉL**: abrir su propio negocio, trabajar de fotógrafo, dejar la carrera, buscar trabajo en el extranjero, vender su moto, conocer a gente muy interesante, trabajar en casa; **ELLA**: ganar la lotería, dar la vuelta al mundo, comprar una casa, casarse.

🔊 **Transcripción del audio:**
- ¿Marta? ¿Eres tú?
- ¿Perdona?
- ¿No te acuerdas de mí?
- ¿Joaquín?

- Sí, claro… no he cambiado tanto, ¿no? Tú no has cambiado nada…
- ¡Madre mía! ¡Cuánto tiempo!
- Sí, sí… pues hace seis o siete años que no nos vemos…
- Claro, desde que terminamos la carrera… Bueno, ¿qué es de tu vida?
- Pues hace dos años abrí un negocio propio y trabajo de fotógrafo en mi estudio.
- ¿De fotógrafo? ¿Dejaste la carrera de Derecho?
- Sí, sí… me aburría mucho. ¿Y tú? ¿Qué ha pasado en tu vida en todo este tiempo?
- No vas a creerlo…, pero me tocó la lotería hace tres años, di la vuelta al mundo con mi novio, compré una casa en el campo, me casé y tenemos dos hijos.
- ¡Guau! ¿Es verdad? No te creo… ja, ja, ja.
- Pues es verdad… ja, ja, ja. ¡La de vueltas que da la vida!
- Es increíble. Yo vendí mi moto…
- ¡No me digas! Tu querida moto, que era como tu novia…
- Sí. Antes de abrir mi estudio, busqué trabajo en el extranjero y tuve que vender la moto para conseguir dinero para hacer el viaje. Allí conocí a gente muy interesante del mundo de la fotografía, pero durante un tiempo trabajaba en casa como traductor y solo los fines de semana podía sacar fotos.
- Bueno, bueno… tenemos que organizar una cena y ponernos al día, que han pasado muchas cosas en nuestras vidas.
- Claro que sí. Dame tu móvil y te llamo esta semana, ¿vale?
- De acuerdo. Apunta…

3 ⏱ Recuerda los tres pasados que ya conoces

Aprovecha la ocasión para realizar en la pizarra un repaso de cómo se utilizan los tiempos de pasado que han sido vistos con anterioridad. Pide a tus estudiantes que completen el ejercicio de forma individual y corrígelo en el pleno. Para la segunda parte deben seleccionar una de las opciones de la columna de la izquierda y poner los verbos de la derecha en los tiempos verbales correctos. Proponles hacerlo en parejas. Como complemento, puedes pedirles que realicen las actividades 4 y 5 del cuaderno de ejercicios.

Soluciones: a. El pretérito **perfecto compuesto** sirve para expresar una acción realizada en una unidad de tiempo **no terminada** o **cerca del momento actual.** También se usa para expresar acciones terminadas sin especificar cuándo han ocurrido; El pretérito **perfecto simple** sirve para expresar una acción realizada en una unidad de tiempo **terminada**; El pretérito **imperfecto** sirve para hablar de **hábitos** en el pasado, para *describir* en el pasado y para hablar de **acciones simultáneas** en el pasado.

4 ⏱ Simula: Un reencuentro

Escribe en la pizarra: «Plantar un árbol, escribir un libro, tener un hijo» y pide que te digan qué es lo que les sugiere esta frase y qué opinan de ella. Después, diles que te den una lista de cosas que debes hacer en tu vida para poder decir que has vivido intensamente y apúntalas en la pizarra. Si quieres, puedes añadirlas a las que se proponen en el ejercicio. Pide que marquen cuáles de ellas ya han hecho. Luego, forma parejas y pide a tus estudiantes que escriban un guión de la situación que se propone y que la representen para la clase.

Paso 2 | Informa: Una anécdota divertida

Objetivos

- Que conozcan y comprendan cómo entienden los diferentes momentos del día los españoles.
- Que sean capaces de poder contar una experiencia vital.
- Que sean capaces de ordenar correctamente en el tiempo los diversos acontecimientos que quieren traer a su discurso pudiendo relacionarlos anteponiendo unos a otros.

1 ⏱ Conoce el concepto de tiempo que tienen los españoles

Explica a tus estudiantes que los horarios españoles son algo diferentes a los del resto del mundo. Después, pon el audio y pide que respondan a las cuestiones del ejercicio. Entonces, pídeles que individualmente construyan la línea temporal y que la comparen con su compañero. En el pleno, corrígelo y haz que comenten su opinión sobre la actividad **c** con sus compañeros. Cuenta en qué momento del día sueles hacer algunas de las tareas cotidianas para poder darles un modelo que imitar y, después, diles que hagan el ejercicio. Como complemento, puedes pedirles que realicen la actividad 6 del cuaderno de ejercicios.

Soluciones: **a.** **1.** El aperitivo se toma hacia la una y media del mediodía; **2.** Es un tiempo aproximado que va, más o menos, de las 12:00 a las 14:00; **3.** La siesta es después de comer, aproximadamente entre las 15:00 y las 16:30; **4.** La sobremesa es la tertulia que se realiza después de comer; **5.** Normalmente se come entre las 14:00 y las 15:30; **6.** *Madrugar* es levantarse temprano por la mañana, *trasnochar* es acostarse tarde por la noche.

b. Aproximadamente: la madrugada se sitúa en torno a las 6 de la mañana, cuando sale el sol; por la mañana es de 6:00 a 12:00; el aperitivo se toma entre las 12:00 y las 15:00; la hora de la siesta es después de las 15:00; la hora del desayuno, antes de las 9:00; por la noche es a partir de las 21:00; la hora de comer, alrededor de las 15:00; por la tarde, después de comer y antes de las 21:00; mediodía, entre las 12:00 y las 15:00.

Transcripción del audio:

1. - Oye, te llamo para ver si podemos vernos mañana.
   - Sí, sí, estupendo. ¿Nos vemos al mediodía?
   - De acuerdo. ¿Tomamos el aperitivo juntos, a eso de la una o una y media?
   - Perfecto, a la una en el bar Castilla. Hasta mañana.
   - Hasta mañana.

2. - Hola, Antonio. Soy Jesús.
   - ¡Hombre! ¿Vienes mañana a comer con nosotros?
   - Sí, me pasaré por allí a las 14:30.
   - No, no, ven un poco más tarde, que hemos quedado con Berta y no puede hasta las tres.
   - ¡Ah! ¿Y la reserva del restaurante es a las tres?
   - Sí, sí, entre tres y tres y cuarto.

3. - ¿Te has terminado ya el libro?
   - Sí, estuve leyendo cuatro o cinco horas seguidas ayer.
   - Increíble, ¡cuánto tiempo!
   - Sí, comencé a la hora de la siesta, mientras mi familia seguía charlando en la sobremesa, y terminé cerca de la hora de la cena.
   - ¿Y te ha gustado?
   - Uff, ¡me ha encantado!

4. - Hola, ¿vienes a la fiesta de Cristina?
   - ¿Hoy hay una fiesta? Ooohhh, lo siento, no puedo ir, hoy no puedo trasnochar.
   - ¡Anda! ¿Y eso?
   - Pues tengo que madrugar mucho mañana.
   - ¡Qué pena! En fin... duerme bien.
   - Sí, pásalo bien en la fiesta. Hasta luego.
   - Hasta luego.

---

(2) Aprende a contar una anécdota y conoce el pretérito pluscuamperfecto

Presenta en la pizarra el pretérito pluscuamperfecto y aprovecha para escribir, en la pizarra, tres frases sobre tu vida con él siendo una de ellas falsa. Deben adivinar cuál es. A continuación, se lee el texto. Pide que resuelvan el ejercicio propuesto y que completen la explicación. Corrígelo en el pleno y forma parejas para hacer el ejercicio **d**. Explica a tus estudiantes cómo hacer este ejercicio utilizando el modelo del primer par de ilustraciones que se presentan. Después pide que hagan el resto del ejercicio. Como complemento, puedes pedirles que realicen las actividades 7 y 8 del cuaderno de ejercicios.

Soluciones: **b.** Son verdaderas la 1 y la 3, y falsa la 2.

d. Antes de estudiar español en Valencia, lo había estudiando en Málaga; Antes de ver *La guerra de las galaxias* en televisión, ya la habían visto en el cine; Antes de estar en Madrid en 2012, ya había ido 17 años antes.

---

(3) Informa: Una anécdota divertida

Tus estudiantes deben leer el texto de la actividad número 2. Explica los conectores sugeridos para el ejercicio y, si quieres, cuenta tú una anécdota personal divertida que sirva como modelo.

Objetivos

- Que sean capaces de resolver una situación conflictiva.
- Que sean capaces de defender sus derechos poniendo una denuncia.

Aprende a reaccionar en situaciones incómodas

Pon el audio y pide que identifiquen qué tipo de situación es. A continuación, pregúntales si les ha ocurrido algo similar en alguna ocasión. Puedes enriquecer esta parte del ejercicio con algunas vivencias propias o pidiendo opinión de situaciones chocantes. Después, tus estudiantes deben completar el ejercicio relacionando las opciones de la columna de la izquierda con las de la derecha. Como complemento, puedes pedirles que realicen la actividad 9 del cuaderno de ejercicios.

> **Soluciones:** **a.** 1-c; 2-a; 3-b.
> **b.** 1-d; 2-c; 3-b; 4-a.

Transcripción del audio:

1. - ¡Camarero! ¡Disculpe!
   - Madre mía, qué mal funciona este restaurante. Hay muy pocos camareros para atender a tanta gente.
   - Sí, en efecto. Pufff, es que llevamos media hora para que nos pongan la bebida.
   - Y todavía no nos han tomado nota de lo que queremos comer.
   - ¡Camarero!… Nada, se ha ido...
   - No volvemos a este restaurante.

2. - Recepción, dígame.
   - Hola, mire, acabo de entrar en la habitación y creo que ha habido un error.
   - Oh, vaya. Por favor, dígame de qué se trata.
   - Había pedido una habitación con cama de matrimonio y la habitación tiene dos camas individuales.
   - Le ruego que nos disculpe. Por favor, bajen a recepción y les ubicaremos en otra habitación con cama de matrimonio.

3. - Buenas tardes, dígame.
   - Mire, tengo un problema. He llegado en el vuelo de Barcelona y no están mis maletas.
   - ¿Ha parado ya la cinta de equipaje?
   - ¡Por supuesto! Hace 10 minutos que no salen más maletas.
   - ¿Una maleta?
   - No, son dos.
   - Bueno, no se preocupe. Deme su pasaporte y el tique con el código de su equipaje para hacer la reclamación.
   - Sí, aquí tiene.
   - Muy bien, en cuanto tengamos su equipaje le llamamos y le mandamos la maleta a la dirección que usted diga.

Conoce la forma de contar un suceso

Explica en la pizarra el significado de *estar* (en pasado) + gerundio escribiendo varios ejemplos, después pide que completen el ejercicio individualmente o en parejas. Como complemento, puedes pedirles que realicen la actividad 10 del cuaderno de ejercicios.

> **Soluciones:** Hola, Ana/Supongo que ya sabes que ayer me robaron. Yo creo que fue por la mañana, pero, en realidad, me di cuenta en casa. **Toda la tarde de ayer estuve buscando la cartera por toda la casa.** A las ocho decidí dejarlo por imposible… Yo creo que fue en la piscina. Como todos los fines de semana, el domingo fui al gimnasio y supongo que, **cuando estaba nadando en la piscina, alguien me robó las cosas** y se llevó la cartera y las gafas. Por eso, no he podido ir a la oficina hoy, porque **he estado denunciando el robo toda la mañana**, sí, toda la mañana, desde las 8:00 hasta las 12:30. Ya sabes cómo es la burocracia. ¡Mañana nos vemos!

Explica a tus estudiantes en qué casos es conveniente poner una denuncia y cuál es el proceso para ello. A continuación, pide que completen el formulario. Puedes pedir, después, que representen, mediante un juego de roles, la escena en el cuartel de policía. Un policía le pregunta sus datos y por qué quiere poner la denuncia.

Paso 4 | Repasa y actúa: Organiza tus recuerdos

Objetivos

- Que repasen y practiquen todos los contenidos vistos en el módulo.
- Que sean capaces de integrarlos a fin de realizar con éxito una tarea final: contar un relato.

En el paso 4 se propone una revisión de lo aprendido en los tres primeros pasos, así las actividades invitan a recordar y practicar los contenidos ya vistos.

Soluciones: 1.a. 1. Soy profesor de secundaria y es muy difícil dar clase a los **adolescentes** porque están en una etapa muy difícil, de muchos cambios; **2.** Ayer hablé con un **señor** muy interesante que vivió la Guerra Civil española; **3.** Antonio Banderas tiene más de cincuenta años, pero sigue siendo un **hombre** muy atractivo; **4.** Mi hermana ha tenido una niña. Es un **bebé** precioso; **5.** En mi clase de español había muchos **jóvenes** de muchos países diferentes que tenían entre 20 y 30 años.

b. **Petanca**, juego que se practica con bolas en la playa o en el parque; Ciclomotor, **moto pequeña que utilizan los jóvenes**; Chupete, **instrumento para calmar el llanto de los bebés**; **Biberón**, recipiente que utilizan los bebés para beber leche, agua…; **Monovolumen**, vehículo con siete plazas o más.

2.b. 1. El jueves **pasó** una cosa increíble; **2. Estábamos** en el aeropuerto de Madrid, Barajas; **3.** Y mi vuelo **salía** a las 20:20 horas; **4.** Mientras **esperábamos** en la puerta 24J; **5. Avisaron** de que el vuelo **iba** a salir desde la 14K; **6.** Y todos **empezamos** a cambiar de puerta corriendo; **7.** Pero cuando **llegamos** a la 14K, **dijeron** que **era** un error; **8.** Y que **teníamos** que volver a la 24J, que **era** la puerta correcta; **9.** Otra vez todos **corrimos** por los interminables pasillos hasta al 24J; **10.** Y allí **hubo** otro cambio: el vuelo **iba** a salir a las 21:30; **11.** Todos nos **enfadamos** muchísimo, pero no **había** nadie de la compañía con quien hablar; **12.** Claro, son los riesgos de un viaje que **costaba** 18 euros ida y vuelta.

c. 1. ¿**Has escuchado** el último disco de Iván Ferreiro?/Creo que ayer, cuando **estaba** en el bar, **pusieron** una canción/ Yo lo **compré** el sábado y me gusta mucho, pero todavía no lo **he escuchado** mucho; **2.** Anoche **intenté** preparar gazpacho para la cena, pero **fue** un desastre/¿Qué **pasó**?/Pues que cuando **empecé** a hacerlo **me acordé** de que no **tenía** aceite de oliva y las tiendas **estaban** cerradas/¿Y qué **hiciste**?/Un zumo de tomate y unas *pizzas*… ja, ja, ja.

3. Nunca antes **había probado** el jamón ibérico; Estaba cansado porque me **había acostado** tarde; No le pudo llamar porque **había olvidado** el móvil en casa; Se iba de viaje porque **había terminado** el curso; No trabajaba ese día porque **se había ido** de vacaciones la semana anterior.

4. Es verdadera la 2, son falsas las demás (1, 3, 4, 5 y 6).

Acción

En esta tarea tus estudiantes deben demostrar que han adquirido y asimilado los contenidos vistos a lo largo del módulo y hacer una entrevista a sus compañeros. Parte de una serie de preguntas dadas que puedes enriquecer con otras adaptadas al contexto educativo y al grupo de tu clase. A continuación, ve siguiendo los puntos propuestos hasta elaborar todo el plan y presentarlo a la clase. Después, tus estudiantes pueden hacer presentaciones sobre los compañeros que han entrevistado.

Idea 2.0
Historias colaborativas

Pide que elaboren una historia de forma colaborativa a partir de un comienzo que tú les darás. Si no se te ocurre nada, puedes preparar y compartir una presentación de PowerPoint en la que solo haya una foto (de una persona, un animal, una cosa, un lugar…) en cada diapositiva (una diapositiva por estudiante). De este modo, cada estudiante tiene que escribir la historia, siguiendo lo que ha escrito su compañero anterior y usando la imagen que haya en su diapositiva.

http://docs.google.com

Programa tu futuro

Objetivos generales

- **Que tus estudiantes sean capaces de hablar de acciones que tendrán lugar en el futuro.**
- **Que puedan planificar un curso de idiomas en el extranjero y organizar su tiempo libre.**
- **Que aprendan a aconsejar, sugerir y prohibir.**
- **Que sean capaces de hablar de sus gustos e intereses culturales y artísticos.**

El recorrido hacia la meta:

Paso 1	Paso 2	Paso 3	Paso 4
▸ Conoce el vocabulario de tu curso de español	▸ Conoce las palabras y expresiones sobre el tiempo libre	▸ Conoce el vocabulario del arte	▸ Repasa los contenidos de los pasos 1, 2 y 3
▸ Aprende el futuro simple	▸ Conoce el imperativo negativo	▸ Haz conjeturas	**Acción**
▸ **Soluciona: Adelántate a los posibles imprevistos**	▸ **Informa: Haz recomendaciones**	▸ **Simula: Comenta una pintura**	▸ Organiza una excursión para aprovechar un fin de semana libre

Paso previo

Si te parece adecuado, antes de entrar propiamente en materia, proyecta o presenta las seis fotos con las que se abre el módulo y pide a tus estudiantes que digan lo que saben de cada una. Después, pregúntales qué tipo de actividad de ocio creen que representa cada una. Haz una lluvia de ideas con la expresión «Tiempo libre» y pregúntales cuál de las seis actividades propuestas les parece más interesante y por qué.

Paso 1 | Soluciona: Adelántate a los imprevistos

Objetivos

- Que conozcan el vocabulario para hablar de los cursos de idiomas.
- Que aprendan a hablar de acciones que ocurrirán en el futuro.
- Que sean capaces de adelantarse a posibles imprevistos durante un viaje expresando condiciones.

1 ──(**Conoce el vocabulario de tu curso de español**)

Como introducción y a modo de calentamiento, puedes proyectar las banderas de algunos países del mundo (los que más te interesen en función de tu lugar de trabajo y de las nacionalidades de tus estudiantes) para que los estudiantes digan qué lengua(s) se habla(n) en cada uno. Por ejemplo, puedes elegir estos y añadir los que consideres más adecuados:

Argentina	Austria	Bélgica	Brasil
China	Holanda	Irlanda	Japón
Marruecos	Nueva Zelanda	Rusia	Suiza

A continuación, pregunta cuántos idiomas hablan, qué nivel tienen de cada uno, cuál les gusta más y por qué y dónde los han aprendido. Tras este calentamiento, propón la actividad **a**, en la que deberán realizar una labor de comprensión de lectura a fin de extraer la información necesaria para rellenar un formulario que, a su vez, les aportará el vocabulario nuevo necesario para hacer referencia con propiedad a las características de un curso de idiomas. Luego, relaciona las preguntas de la actividad **b** con las propuestas en el calentamiento. Si lo prefieres, reserva aquellas para ampliar esta actividad, ya que se pretende que tus estudiantes cuenten su experiencia estudiando idiomas. Aprovecha para hacer otras preguntas que les inviten a utilizar el vocabulario aprendido en **a**: *¿dónde preferís estudiar idiomas: en vuestro país o en el extranjero?, ¿qué criterios utilizáis para escoger el país o la ciudad donde ir a estudiar?, ¿es un viaje de estudios, de descanso o una mezcla de ambos?* Después, sigue con la pregunta sobre las actividades extraescolares que les resulten más interesantes. Pregunta también qué actividades son universales en todos los centros de enseñanza de lenguas y cuáles pueden ser propias de cada país. Como complemento, puedes pedirles que realicen la actividad 1 del cuaderno de ejercicios.

2 — Aprende el futuro

Como forma de contextualizar el segundo bloque de actividades, puedes llevar a clase fotos o tarjetas de acontecimientos que tus estudiantes deberán ordenar cronológicamente y ubicar en una línea dibujada en la pizarra que represente el pasado, el presente y el futuro.

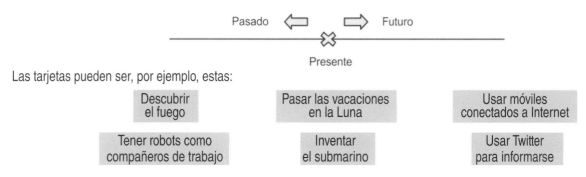

Las tarjetas pueden ser, por ejemplo, estas:

Descubrir el fuego	Pasar las vacaciones en la Luna	Usar móviles conectados a Internet
Tener robots como compañeros de trabajo	Inventar el submarino	Usar Twitter para informarse

Cuando tengáis el esquema completo, marca el espacio que corresponde al futuro para indicar que ese es vuestro objeto de estudio y propón la actividad **a**, en la que se plantea una presentación inductiva del futuro simple. Pide que dos estudiantes lean y representen el diálogo y que, entre todos, identifiquen las formas correspondientes al futuro. Posteriormente, individualmente, pide que completen la tabla y realicen la actividad **b**, donde además de practicar la forma del nuevo tiempo verbal, deberán prestar atención al significado de las frases para relacionarlas. Por último, pide que unos voluntarios salgan a la pizarra y, con ayuda de sus compañeros, reproduzcan y completen los cuadros de los versos irregulares (**c**) en la pizarra. Como complemento, puedes pedirles que realicen las actividades 2 y 3 del cuaderno de ejercicios.

3 — Soluciona: Adelántate a los posibles imprevistos

Con esta actividad final, vemos la estructura para expresar condiciones reales de futuro, ya que es la forma más pertinente de indicar soluciones ante posibles imprevistos futuros, que es la propuesta didáctica. Como preparación, te sugerimos que realices la actividad 4 del cuaderno de ejercicios. Pide a tus estudiantes que resuelvan los problemas que les podrían surgir al llegar a un país nuevo para, por ejemplo, estudiar la lengua. Deja unos minutos para que respondan individualmente a las situaciones. Después, propón una puesta en común y pregunta si se les ocurre alguna otra situación ante la que es bueno ir prevenido y que los compañeros reaccionen.

Paso 2 | Informa: Haz recomendaciones

Objetivos

- Que sean capaces de comprender la información de interés de una guía de ocio.
- Que aprendan el vocabulario de las actividades culturales y de tiempo libre.
- Que aprendan a hacer sugerencias, advertencias y prohibiciones.

① Conoce las palabras y expresiones sobre el tiempo libre

a. y **b.** Puedes comenzar, como calentamiento y forma de contextualizar, preguntando cuáles son sus aficiones, qué cosas les gusta hacer cuando tienen tiempo libre para, a continuación, pedir que hagan la actividad **a**. Luego, explica que van a trabajar con una página de una guía del ocio que van a leer para aprender el vocabulario para hablar de las actividades de tiempo libre. Para comprobar que han comprendido la información sobre las actividades de la guía deberán responder a las preguntas. La última actividad de este primer bloque busca que el estudiante sea capaz de elegir las actividades de la guía del ocio que considere más adecuadas para los intereses de las personas que van a escuchar. En la puesta en común es importante que cada estudiante justifique su decisión. Si trabajas con *Meta ELE B1*, tienes una actividad adicional con una audición. Puedes ver la transcripción en www.edelsa.es > Sala de profesores. Como complemento, puedes pedirles que realicen la actividad 6 del cuaderno de ejercicios.

> **Soluciones: a.** Música y bailes: tango en directo, bailarín, concierto; Cine y teatro: cortometraje, película, director, obra; Deporte y aventura: partido, vuelta ciclista; Arte y literatura: exposición, pinturas, cuentacuentos; Folclore y gastronomía: mate, carrillada, dulces, mercado, artesanía, degustación, platos típicos. **1.** El partido de fútbol entre el Real Madrid y el Barça (son los dos grandes equipos de fútbol español y, cuando compiten en un partido, se llama «el clásico» y suele despertar mucho interés y expectación) y la vuelta ciclista; **2.** La noche argentina, el mercado de artesanía y las clases de salsa; **3.** En el bar Caracol; **4.** Respuesta libre.

② Conoce el imperativo negativo

Pregunta si les gusta el flamenco, la música más conocida de España. Pregunta también por qué les gusta, por qué les llama la atención. Escribe en la pizarra algunas palabras que se relacionan con el flamenco y pregunta si para ellos representan esa música y por qué. Puedes escribir, entre otras, las siguientes:

pasional, tradicional, español, baile, guitarra, palmas, ritmo, expresivo, gitanos...

A continuación, propón la lectura del texto (**a**) y coméntalo a partir de la experiencia de tus estudiantes: pregunta si han ido a ver algún espectáculo de flamenco, si se lo imaginan como un concierto de pop o como una obra de teatro, qué es lo que más les ha llamado la atención de las sugerencias del texto para aprender a disfrutar del espectáculo flamenco, etc. Tras la lectura y la conversación, es el momento de la reflexión y la sistematización gramatical (**b**) para, en el último momento de esta secuencia de actividades, realizar la práctica (**c**). Como complemento, puedes pedirles que realicen las actividades 7 y 8 del cuaderno de ejercicios.

> **Soluciones: a.** No debes: levantarte de la silla, cantar con los cantaores, hacer fotos y aplaudir antes de tiempo.
> **b.** GRITAR: no grites, no grite, no gritéis, no griten; CANTAR: no cantes, no cante, no cantéis, no canten; PENSAR: no pienses, no piense, no penséis, no piensen; COMER: no comas, no coma, no comáis, no coman; HACER: no hagas, no haga, no hagáis, no hagan; PONER: no pongas, no ponga, no pongáis, no pongan; ESCRIBIR: no escribas, no escriba, no escribáis, no escriban; IR: no vayas, no vaya, no vayáis, no vayan; MENTIR: no mientas, no mienta, no mintáis, no mientan; VENIR: no vengas, no venga, no vengáis, no vengan.
> **c. 1.** Carlos, te recojo a las 20:00 para ir al teatro/No, no **vengas** porque estoy en la cama, tengo fiebre y no me encuentro muy bien; **2.** Pero, Amalia, no **te pongas** ese jersey para ir al parque de atracciones, hace mucho calor/Mamá, no me **digas** siempre lo que tengo que hacer. Yo sé que hace calor, pero por la noche seguramente refrescará; **3.** Vamos a hacer el viaje a Italia en julio. Nos cuestan los billetes 290 euros/¿Estás loco? No **pagues** tanto. Yo conozco una página web con vuelos más baratos; **4.** No **hagas** la reserva para el restaurante, yo llamaré luego.

③ Informa: Haz recomendaciones

Tras lo visto en este paso 2, pide al estudiante que prepare y exponga una lista de sugerencias de lo que hay que hacer y no hay que hacer en un viaje de estudios. Puedes dejar unos minutos para que cada uno, individualmente, prepare su lista y, en un segundo momento, haz la puesta en común. Pide que, cada uno, añada a su lista las ideas de los compañeros que le parezcan más interesantes y con las que estén de acuerdo. Al final, puedes organizar unas votaciones o un debate para extraer las dos mejores sugerencias: algo que hay que hacer y algo que no.

Objetivos

- Que aprendan el vocabulario para hablar de las artes y de las manifestaciones artísticas.
- Que sean capaces de comprender textos de diferente naturaleza, tipología y finalidad relacionados con el mundo del arte.
- Que puedan expresar hipótesis sobre obras de arte.

1 — Conoce el vocabulario del arte

Para presentar el vocabulario del arte, propón que relacionen las imágenes con las llamadas *bellas artes* (**a**) y que, luego, completen el esquema con las palabras dadas (**b**). Puedes proponer que, por parejas, sigan ampliando el esquema con otras palabras asociadas o con ejemplos de obras artísticas. Tras la presentación del vocabulario y buscando que lo pongan en práctica, pregunta cuál de las siete bellas artes les gusta más y pide que te cuenten por qué, cuáles son sus artistas o sus obras de arte favoritas, qué museos han visitado y cuál le ha gustado más o qué museo quieren conocer... Y para concluir este bloque pide que reutilicen el vocabulario aprendido para completar estos textos relacionados con el mundo del arte (**c**). Pide también que relacionen cada texto y su imagen con el nombre del documento en el que los podemos leer. Para ello, escribe en la pizarra:

La contracubierta de una novela - Un programa de mano de un espectáculo de baile - Un libro de Historia del Arte - Una crónica de un concierto publicado en un periódico - Un folleto informativo de un monumento o un catálogo de un museo o de una exposición - Una noticia publicada en una revista especializada en cine - La ficha técnica que describe una obra en un museo

Como complemento, puedes pedirles que realicen la actividad 9 del cuaderno de ejercicios.

> **Soluciones: a.** 1-Música (es el cantante Alejandro Sanz, un cantante y compositor que hace música flamenco-pop); 2-Danza (es la bailaora de flamenco Sara Baras); 3-Pintura (es el famoso cuadro de Velázquez, *Las meninas*); 4-Literatura (es la cubierta de la primera edición de *El ingenioso hidalgo don Quijote de La Mancha,* de Miguel de Cervantes); 5-Arquitectura (es la fachada de la Casa Milà en Barcelona, del arquitecto modernista Antonio Gaudí); 6-Escultura (es la escultura *El peine de los vientos* en San Sebastián, del escultor Chillida).
>
> **b.** Pintura: pintor, dibujo, cuadro; Cine: actor, película; Música: orquesta, concierto, canción; Danza: coreografía, bailarín; Escultura: estatua, escultor; Literatura: novela, poesía, escritor; Arquitectura: castillo, palacio, edificio, arquitecto.
>
> **c.** Es probablemente la **escultura** más famosa del **escultor** Miguel Ángel Buonarroti; En el estreno de la **película** estuvieron el director y el **actor** principal, Antonio Banderas; El espectáculo de **danza** clásica estará protagonizado por el **bailarín** Joaquín Cortés, director y autor de la **coreografía** que interpretará junto al resto de artistas de la compañía; El **arquitecto** catalán Antonio Gaudí diseñó el **edificio** modernista más famoso de España; Esta **novela** fue publicada originalmente en 1967 y tras el *boom* de la **literatura** latinoamericana se convirtió en una obra clásica; El **cantante** Juan Luis Guerra terminó con la **canción** *Ojalá que llueva café*, su tema más conocido; Este **dibujo** lo realizó Pablo Picasso como preparación para el **cuadro** *Las señoritas de Aviñón* que ahora está en Nueva York.

2 — Haz conjeturas

Para comenzar este tercer bloque de actividades puedes proyectar algunas obras de arte para introducir la función de realizar conjeturas o plantear hipótesis. Por ejemplo, te sugerimos estas obras que pertenecen a diferentes artes y que invitan a la interpretación:

| *Peine del viento,* de Chillida | *Constelaciones,* de Joan Miró | *Marilyn,* de Warhol | *Le cadeau,* de Man Ray |

Asegúrate de que entienden la función que van a aprender y pide, entonces, que lean la interpretación que sobre *Saturno devorando a un hijo,* de Goya y que, a continuación, lean y completen la explicación (**a**) y completen las frases (**b**). Como complemento, puedes pedirles que realicen las actividades 10, 11 y 12 del cuaderno de ejercicios.

Soluciones: a. futuro simple.

b. 1. Esta escultura es parecida a una que vi en Bilbao/**Será** del mismo artista; **2.** Mi hermano y yo **iremos** a ver la exposición el sábado, ¿vienes con nosotras?/No sé porque supongo que mi madre **celebrará** su cumpleaños; **3.** ¿Qué vas a hacer el viernes por la noche?/Pues no estoy segura, **compraré** unas *pizzas* y **veré** el partido en casa; **4.** Esta noche es la entrega de los Óscar, ¿**ganará** otra vez Javier Bardem?

(3) Simula: Comenta una pintura

Esta última actividad es una continuación y ampliación del bloque 3, al tiempo que sirve de cierre del tercer paso y propone, en dos partes, una actividad de simulación de dos amigos que, durante una visita a un museo o a una exposición, hacen conjeturas e interpretan las obras que ven (**a**) y, por otro lado, una segunda actividad que viene a completar y complementar la primera: unos especialistas en arte que hacen sus análisis de las obras (**b**) para que tus estudiantes realicen un ejercicio de comprensión de lectura y de comparación con las hipótesis planteadas por tus estudiantes.

Soluciones: b. *Guernica*, a. Es una pintura histórica; *La Gioconda*, a. Es un homenaje a Leonardo da Vinci; *La persistencia de la memoria,* a. Los relojes están blandos, como el queso, por el paso del tiempo; *El tiempo vuela*, b. Es una crítica a la sociedad moderna.

Transcripción del audio:

1. *La Gioconda* es la obra de arte más famosa de la historia, probablemente, y ha tenido muchas versiones. Una de las más simpáticas es la del pintor colombiano Fernando Botero que, por medio de sus famosas figuras gordas, rinde un homenaje a Leonardo da Vinci.

2. Dalí, el genio surrealista catalán, dijo que se inspiró en el queso camembert para sus relojes blandos, que se ablandan, como la memoria, por efecto del paso del tiempo.

3. En el *Guernica*, Picasso recuerda la masacre que ocurrió en la ciudad vasca en 1937. La enorme pintura, símbolo universal de la paz, presenta las consecuencias del bombardeo.

4. En *El tiempo vuela*, Frida Kahlo hace un juego de palabras e imágenes. Vemos que hay un reloj (el tiempo) junto a Frida y de su cabeza sale un avión (que vuela). Este juego refleja la influencia del surrealismo en sus pinturas.

Paso 4 | Repasa y actúa: Organiza actividades

Objetivos

- Que repasen y practiquen todos los contenidos vistos en el módulo.
- Que sean capaces de integrarlos a fin de realizar con éxito una tarea final: organizar una excursión a una ciudad cercana durante tu estancia en el país donde estudias.

En el paso 4 se propone una revisión de lo aprendido en los tres primeros pasos, así las actividades invitan a recordar y practicar los contenidos ya vistos y se da un paso más en algunos casos, por ejemplo:

1.c. Donde se amplía el vocabulario relacionado con el arte.

Soluciones: 1.a. 1. Si voy de vacaciones a México, **subiré** a las pirámides de El Sol y La Luna, en Teotihuacán, **visitaré** el Museo Antropológico y **probaré** las quesadillas; **2.** Si consigo una beca para estudiar un semestre en Argentina, **veré** un partido de fútbol en el estadio de La Bombonera; **3.** Si ganamos el viaje a Perú en el concurso de televisión, **comeré** cebiche y muchos dulces y **compraré** un jersey de lana de llama; **4.** Si ahorro dinero suficiente para viajar a España, **alquilaré** un coche para recorrer Andalucía y **viajaré** en tren hasta el norte para probar la comida del País Vasco y de Galicia.

c. Actor; canción; escultor; concierto.

2.a. 1. No salgan después de oír el toque de silbato-en un tren; **2.** ¡Cuidado!, no **ingiera** este producto, es altamente peligroso-En un detergente; **3.** No **deje** este medicamento al alcance de los niños-En la publicidad de una medicina; **4.** No **tengan** encendidos los móviles durante la representación-En el teatro; **5.** No **utilicen** el baño, está estropeado-En un bar.

b. no cierre; no duerma; no pida; no ponga; no aparquéis; no juguéis; no conduzcáis; no salgáis.

Transcripción del audio:

1. - ¿Seguro que es aquí?
   - Yo creo que sí.
   - Pero tenía que llegar ahora, a las 12:15, ¿no?
   - Eso es lo que dijo cuando llamó.
   - Vamos a preguntar…

2. - ¿Sabes dónde están?
   - No, no las he visto. ¿Las has buscado en tu dormitorio?
   - Sí, pero no están.
   - ¿Y en el salón? Quizá las has puesto en la mesa de lectura o en el sofá.

3. - ¿Qué hora es?
   - Las seis y cuarto.
   - ¡¡¡¿¿¿Cómo???!!!
   - Las seis y cuarto.

   - Sí, ya te he oído… ¿pero ya son y cuarto? No puede ser… tengo que irme ya…
   - Pero si no te has terminado el café…
   - Lo siento…

4. - ¿Quién ha comprado esto?
   - Yo no.
   - ¿Qué es?
   - No sé… es una cartera negra, parece…
   - Pues yo tampoco.
   - ¿Hay tique o algo?
   - No.
   - ¿Dónde estaba?
   - En la bolsa de Zara…
   - Ay, ay, ay…

Acción

En esta tarea el estudiante debe demostrar que ha adquirido y asimilado los contenidos vistos a lo largo del módulo y planificará una excursión para aprovechar el tiempo libre durante una estancia de estudios en el extranjero. Partiremos de elegir la ciudad donde se está estudiando y la ciudad que se quiere visitar. A continuación, se irán siguiendo los puntos propuestos hasta elaborar todo el plan y presentarlo a la clase. Una vez hechas todas las presentaciones, puedes proponer una votación para elegir la mejor. Puedes también proponer varias votaciones por categorías: el plan más interesante, el plan más divertido, el plan más completo.

Idea 2.0
Hacer propuestas

Para el paso 3. Sugiere a tus estudiantes crear un grupo cerrado en Facebook. Después, pide que hagan propuestas y expongan planes tanto para sus compañeros como para ti. Encarga a los estudiantes que dejen un comentario por cada propuesta expresando acuerdo, desacuerdo, quedando, proponiendo alternativas, etc. Para que quede más interesante, pide que dejen enlaces a páginas web, tráilers de películas o información sobre exposiciones de arte, etc. Si el grupo lo permite, encarga que organicen, colaborativamente, un fin de semana.

http://www.facebook.com

Cultiva tus relaciones sociales

OBJETIVOS GENERALES

- **Que tus estudiantes sean capaces de manejarse en una celebración con hispanos.**
- **Que puedan plantear ideas a la hora de planificar una celebración.**
- **Que aprendan a aconsejar y sugerir.**
- **Que sean capaces de reaccionar y expresar sus preferencias y deseos.**
- **Que puedan emitir mensajes en los que expresen posibilidad, probabilidad.**

El recorrido hacia la meta:

Paso 1	Paso 2	Paso 3	Paso 4
▶ Conoce el vocabulario de las celebraciones sociales	▶ Desenvuélvete en actos sociales	▶ Aprende a expresar probabilidad	▶ Repasa los contenidos de los pasos 1, 2 y 3
▶ Aprende a hacer propuestas y descubre el condicional	▶ Reacciona ante diversas situaciones y expresa deseos	▶ Conoce los hábitos sociales de los españoles	**Acción**
▶ Da consejos y haz sugerencias	▶ Soluciona: Expresa tus mejores deseos	▶ Simula: Sé tú mismo en otra cultura	▶ Invita a un amigo español o hispano a una celebración
▶ Informa: Tu próximo cumpleaños			

Paso previo

Si te parece adecuado, antes de entrar propiamente en materia, proyecta o presenta las seis fotos con las que se abre el módulo y pide a tus estudiantes que digan qué les sugieren, cuál creen que es el tema que van a estudiar, qué estructuras se necesitan, etc. Haga una lluvia de ideas con las palabras o expresiones que conocen sobre el tema.

Paso 1 | Informa: Tu próximo cumpleaños

Objetivos

- Que conozcan el vocabulario para hablar de una celebración.
- Que tus estudiantes sean capaces de dar consejos y sugerir soluciones.

1 ⟶ **Conoce el vocabulario de las celebraciones sociales**

Lleva varias fotografías personales en las que estés con familia y amigos. Pide a tus estudiantes que intenten adivinar qué es lo que se estaba celebrando en cada una. Después, elige una o dos fotos y comenta alguna anécdota divertida sobre ellas para entrar en ambiente. A continuación, pon el audio y pide que hagan el ejercicio **a** individualmente. Forma parejas y propón a tus estudiantes que señalen qué palabras corresponden a cada una de las celebraciones del apartado **a**. Puedes pedirles también que conversen con su compañero para elegir una celebración y que comenten qué es lo que más y lo que menos les gusta de la misma. Finalmente, pide a tus estudiantes que completen los diálogos de **c**. Como complemento, puedes pedirles que realicen las actividades 1 y 2 del cuaderno de ejercicios.

Soluciones: a. Un cumpleaños, una inauguración, un aniversario y una boda.

b. Los invitados: en todas; la tarta: en cumpleaños y bodas; el brindis: en cumpleaños y bodas; la invitación: en bodas y bautizos; los globos: en cumpleaños; los fuegos artificiales: en bodas; las velas: en cumpleaños y, tal vez, en aniversarios; los regalos: en cumpleaños, aniversarios, bodas y bautizos; el discurso: en aniversarios, inauguraciones y fiestas de bienvenida.

c. 1. ¿Has recibido la **invitación** para la boda?/Sí. Creo que va a haber una **tarta** de tres pisos de chocolate blanco y fresas; 2. ¿Qué tal estuvo el **bautizo** de la hija de Ana?/Muy bien. La niña iba preciosa con un vestido blanco y no lloró nada. Solo éramos unos pocos **invitados**, la familia y los amigos íntimos; 3. El sábado estuvimos en el **cumpleaños** de Ángel/¿Y qué tal?/Genial. Los niños lo pasaron muy bien. Ya sabes, **velas** en la tarta y muchos **globos** de todos los colores.

Transcripción del audio:

1. - Bueno, mamá, me voy.
   - ¿Dónde vas, Sara?
   - A la fiesta de Marta.
   - Ah, es verdad... ¿cuántos años cumple?
   - Veintidós.
   - ¿Veintidós ya? ¡Madre mía, cómo pasa el tiempo!
   - Sí, pues mi cumpleaños es el mes que viene.
   - Ya no eres una niña, ¿eh?

2. - Oye, Víctor, ¿vienes el viernes a jugar al baloncesto?
   - ¿El viernes? Ay, no puedo... Tengo una amiga que ha abierto una tienda nueva y me ha invitado a la fiesta de apertura.
   - ¿Una tienda de qué?
   - Una zapatería.
   - Ah. Yo nunca he ido a una fiesta de inauguración.
   - Creo que dan una copa o algo así.
   - Ya me contarás...

3. - Tienes mala cara, Rocío.
   - Sí, es que estamos preparando la fiesta de aniversario de la escuela.
   - ¿Qué fiesta?
   - Este mes hace 10 años que abrimos y vamos a organizar una gran fiesta en la piscina... con juegos, una paella y un espectáculo de flamenco.
   - Y tenéis muchas cosas que hacer, claro.
   - Sí, ahora estamos preparando las invitaciones y la decoración del jardín.

4. - Juan, ¿tienes planes para el sábado por la mañana?
   - No, ¿por qué?
   - ¿Me acompañas al centro comercial? Es que tengo que comprarme una corbata y una camisa.
   - ¿Tienes una entrevista de trabajo o algo así?
   - Se casa uno de mis mejores amigos.
   - Ah, vale. Conozco una tienda que tiene cosas bonitas y a buen precio.
   - ¡Estupendo!

2 Aprende a hacer propuestas y descubre el condicional

Presenta en la pizarra cómo se forma el condicional y escribe algunas oraciones a modo de ejemplo. Después, pide a un estudiante que lea el *e-mail* sobre la preparación de una fiesta sorpresa. Explica el vocabulario que no entiendan y pide que subrayen todos los verbos en condicional que encuentren. Para terminar, tus estudiantes deben completar el cuadro con los condicionales que faltan en la página siguiente. Entonces, explica a tus estudiantes que el condicional irregular es igual que el futuro. Saber cuáles de estas formas verbales son irregulares es muy fácil si ya saben formar el futuro. Pon algunos ejemplos en la pizarra para que lo comprendan. Después, revisa la lista de la izquierda y pide que hagan la actividad **b.** Como complemento, puedes pedirles que realicen las actividades 3, 4 y 5 del cuaderno de ejercicios.

Soluciones: **a.** SER: sería, serías, sería; ESTAR: estaría, estarías, estaría, IR: iría, irías, iría; DEBER: deberíamos, deberíais, deberían; COMPRAR: compraríamos, compraríais, comprarían; EMPEZAR: empezaríamos, empezaríais, empezarían. CONDICIONAL: -ía, -ías, -ía, -íamos, -íais, -ían.

   b. saber-sabría; poder-podría; hacer-haría; salir-saldría; venir-vendría; haber-habría; valer-valdría; caber-cabría; querer-querría; decir-diría; poner-pondría; tener-tendría.

   Podríamos, habría, pondríamos, tendríamos, valdría, habría.

3 Da consejos y haz sugerencias

Una buena idea para trabajar esta actividad es con un juego de roles: forma parejas, pide que elijan una de estas situaciones y que hagan un diálogo que representarán ante la clase. Deja muy claro que deben utilizar el condicional en varios momentos.

4 Informa: Tu próximo cumpleaños

Pide a tus estudiantes que escriban un texto en el que expliquen cómo les gustaría que fuera su cumpleaños ideal, cómo lo organizarían, dónde, etc. Después, pueden comentarlo en parejas.

Paso 2 | Soluciona: Expresa tus mejores deseos

Objetivos

- Que conozcan algunas normas de protocolo españolas a la hora de una celebración.
- Que puedan expresar sus preferencias y deseos.

① Desenvuélvete en actos sociales

Esta actividad puede resultar muy divertida si el profesor comenta alguna situación embarazosa que le haya pasado a él o a un amigo en una celebración en un contexto internacional. Las normas de protocolo en este sentido varían mucho de unas culturas a otras. Después, haz preguntas a tus estudiantes de cómo se celebran unos acontecimientos u otros en cada uno de los países. Tras ello, pasan a hacer la actividad 1. Como complemento, puedes pedirles que realicen la actividad 6 del cuaderno de ejercicios.

② Reacciona ante diversas situaciones y expresa deseos

Explica en la pizarra la estructura gramatical para expresar deseos en español. Después, pide a tus estudiantes que hagan la actividad **a** uniendo con flechas. Señálales que han estado utilizando una forma verbal nueva: el presente de subjuntivo. Explica que es un modo verbal que sirve, entre otras cosas, para expresar opiniones subjetivas, deseos... Presenta su formación y pide que completen la tabla **c**. Por último, pon el audio y pide que elijan la mejor reacción posible para cada situación. Como complemento, puedes pedirles que realicen las actividades 7 y 8 del cuaderno de ejercicios.

Soluciones: **a.** 1-f; 2-c; 3-d; 4-a; 5-b; 6-e.

b. Que te mejores, que lo pases bien, que seáis muy felices; ojalá llegues a director.

c. CERRAR: cierre, cierres, cierre, cerremos, cerréis, cierren; VOLVER: vuelva, vuelvas, vuelva, volvamos, volváis, vuelvan; PEDIR: pida, pidas, pida, pidamos, pidáis, pidan; IR: vaya, vayas, vaya, vayamos, vayáis, vayan; HACER: haga, hagas, haga, hagamos, hagáis, hagan; TENER: tenga, tengas, tenga, tengamos, tengáis, tengan.

d. 1-d; 2-a; 3-b; 4-g; 5-c; 6-f; 7-h; 8-e.

Transcripción de la audición:

1. Bueno, no puedo más, estoy muy cansada. Me voy a dormir.

2. Mamá, ahora no puedo hablar, te llamo más tarde, ¿vale? Es que voy a comer.

3. ¡Qué tarde es ya! Me voy, que pierdo el tren.

4. Mañana jugamos la semifinal contra Argentina, ¿no?

5. Ya sale el vuelo. Nos vemos en diez días.

6. Ahí está Ana con el coche. Vamos a ver qué tal está la película.

7. Feliz cumpleaños. Toma, esto es para ti.

8. Bueno, me tengo que ir. Tengo un examen en 15 minutos.

③ Expresa tus mejores deseos

Pide a tus estudiantes que relacionen los bocadillos de texto con las situaciones. Deben decir deseos para estas personas con las que hablan. A continuación, pide a tus estudiantes que elijan una situación y que escriban deseos para esa persona en concreto. Después, leen la lista de deseos en voz alta y los compañeros deben adivinar para qué situación se han escrito.

Paso 3 | Simula: Sé tú mismo en otra cultura

Objetivos

- Que puedan expresar juicios de probabilidad ante una situación dada.
- Que sepan reaccionar y sortear las dificultades que conllevan los choques culturales.

① Aprende a expresar probabilidad

Comienza la actividad contando cómo son algunas de las costumbres españolas que más chocan a la cultura o las culturas a las que estás dando clase. Además, puedes aprovechar para recordar cómo son los horarios españoles o qué diferencias hay en cuanto al espacio interpersonal. Después, pide que hagan el ejercicio **a** uniendo con flechas y reaccionando y comentando cada una de las situaciones. A continuación, pide a tus estudiantes que completen, con lo visto, el cuadro **b** y que escriban oraciones a modo de ejemplo para cada una de las estructuras gramaticales presentadas. Y, finalmente, forma grupos de tres, pide que hagan hipótesis de cada una de las situaciones de **c** y que las comenten. Como complemento, puedes pedirles que realicen la actividad 9 del cuaderno de ejercicios.

Conoce los hábitos sociales de los españoles

Esta actividad puede dar mucho juego en clase. Forma parejas y pide que conversen sobre cada uno de los temas de este apartado **a** haciendo oraciones de probabilidad, como explicación, para cada una de las situaciones. A continuación, pon el audio para que verifiquen sus respuestas. Y en el pleno, por grupos, van comentando a toda la clase qué es lo que más les ha sorprendido y explican la razón. Como complemento, puedes pedirles que realicen la actividad 10 del cuaderno de ejercicios.

Transcripción del audio:

Locutor: Bienvenidos a un nuevo programa de radio, *Las mañanas contigo*. Hoy tenemos un programa muy divertido porque hemos invitado a nuestro estudio a una pareja de extranjeras que llevan viviendo en nuestro país desde hace tiempo. Ellas son Luiza y Stelle. Buenos días a las dos.

LyS: Hola, hola.

Locutor: Nos hablarán de cómo se han adaptado a las costumbres españolas. ¿Ha sido difícil?

LyS: Más o menos.

Locutor: ¿Qué es lo que más os ha llamado la atención?

Luiza: Pues, mira, una de las cosas más extrañas es que, si estás en casa de un conocido y te ofrece comer o beber algo, no se suele aceptar a la primera. Es un poco raro.

Stelle: Sí, sí. Mira, el primer día que veo a mi suegra, yo en su casa, me dice que si quiero algo, yo a la primera, pues que una coca-cola y desde entonces yo creo que nos llevamos mal.

Luiza: ¿Y qué me dices de la costumbre de pagar? Los españoles compiten por pagar lo que se toma en un bar o en una terraza. Muy divertido.

Locutor: Ya, se supone que otro día o en otro bar pagas tú.

Luiza: Sí, sí, claro, pero lo más raro, ¿sabes qué es? Pues eso de dar dos besos a los chicos para saludar... En mi país nos damos la mano.

Locutor: Bueno, aquí solo hay besos entre hombres si son de la misma familia, pero si no, cuando dos chicos se saludan, se dan la mano.

Luiza: Mira, eso sí que es igual que en nuestro país.

Stelle: Es que esto de los saludos es muy raro aquí. Por ejemplo, al entrar en un lugar cerrado, como un ascensor, hay que decir *hola* y *adiós*.

Luiza: Esto es muy diferente en nuestro país.

Locutor: ¡Vaya! Esto sí que es una novedad, pensaba que era igual en todas partes...

Explica con qué estructuras gramaticales puedes reaccionar ante un imprevisto o una situación sorprendente. Después, plantea el ejercicio 3 para que sea resuelto por tus estudiantes.

Paso 4 | Repasa y actúa: Invita a un amigo

Objetivos

- Que repasen y practiquen todos los contenidos vistos en el módulo.
- Que sean capaces de integrarlos a fin de realizar con éxito una tarea final: ser capaces de invitar a un amigo español o hispano a una celebración.

En el paso 4 se propone una revisión de lo aprendido en los tres primeros pasos, así las actividades invitan a recordar y practicar los contenidos ya vistos.

Soluciones:

1.
  1. La tarta; **2.** Las velas; **3.** Los globos; **4.** La invitación.

2. b. DECIR: diría, dirías, diría, diríamos, diríais, dirían; SALIR: saldría, saldrías, saldría, saldríamos, saldríais, saldrían; PONERSE: me pondría, te pondrías, se pondría, nos pondríamos, os pondríais, se pondrían; QUERER: querría, querrías, querría, querríamos, querríais, querrían; PODER: podría, podrías, podría, podríamos, podríais, podrían; TENER: tendría, tendrías, tendría, tendríamos, tendríais, tendrían.

  c. 1. Yo que tú **haría** una celebración pequeña, solo para la familia-a; **2.** Supongo que **se acostarían** muy tarde anoche porque fueron a una boda y todavía están dormidos-a; **3.** ¿**Os gustaría** venir a la fiesta de inauguración?-b; **4. Deberías** llamar a las chicas para el cumpleaños-b; **5.** Pues fue muy raro. No vino al bautizo. **Perdería** el avión-b.

3. a. 1. Que **gane** el mejor-c; **2.** Espero que os **guste**-e; **3.** Ojalá no **llueva** mañana-a; **4.** Que **descanséis**-d; **5.** Ojalá **lleguen** a tiempo-b.

  b. 1. Mañana me voy a León, a empezar mi nuevo trabajo/Espero **que te vaya bien**; **2.** Ha perdido el billete de tren. No tiene ni idea de dónde lo ha puesto. Ojalá **lo encuentre** pronto porque me voy a volver loca de escucharlo; **3.** Espero que **paséis** un fin de semana genial.

  c. 1. He ido esta mañana al supermercado porque quiero que **prepares** una comida muy especial para celebrar mi santo; **2.** Ya he enviado toda la documentación. Ojalá **pueda** estudiar Medicina/Sí, hombre, seguro que sí. Bueno, me tengo que ir. Que **tengas** mucha suerte; **3.** Mamá ha comprado en el supermercado todos los ingredientes porque quiere que **prepare** mi paella. Desde que vivo en Valencia, siempre que vuelvo tengo que hacer paella.

4.
  1. ¿Hacemos algo esta tarde? Mira la cartelera, puede que **haya** alguna obra de teatro interesante; **2.** Es posible que **vayamos** al cine esta tarde; **3.** No contesta al teléfono, a lo mejor **ha salido** a dar un paseo; **4.** Llévate el paraguas, quizá **llueva** de camino al espectáculo; **5.** Laura no ha llegado, ¿dónde estará? Ay, es probable que no **pueda** llegar a tiempo; **6.** Vaya, no tengo dinero para pagar las tapas, tal vez **pueda** pagar la cuenta con tarjeta de crédito.

Acción

En esta tarea el estudiante debe demostrar que ha adquirido y asimilado los contenidos vistos a lo largo del módulo. Para ello, haz una revisión y una ampliación de varias costumbres españolas que acompañen las fotografías que se muestran y pide a tus estudiantes que escriban un *e-mail* a un amigo para venir a España a estudiar español.

Prepárate para un viaje

OBJETIVOS GENERALES

- Que tus estudiantes sean capaces de entender los paneles informativos de una estación de tren y de autobús.
- Que puedan elegir entre varias opciones cuál es la que más le conviene para realizar un viaje.
- Que puedan desenvolverse en un aeropuerto entendiendo la información que tienen a su disposición ya sea sonora o escrita.
- Que sean capaces de organizar una visita turística.

El recorrido hacia la meta:

Paso 1	Paso 2	Paso 3	Paso 4
▶ Conoce el léxico de los medios de transporte públicos	▶ Aprende a hablar de las actividades propias del aeropuerto	▶ Amplía el vocabulario para hablar de viajes	▶ Repasa los contenidos de los pasos 1, 2 y 3
▶ Desenvuélvete y aprende los indefinidos	▶ Comprende los avisos que escuchas en el aeropuerto	▶ Organiza la visita a un monumento y transmite la información a otras personas	**Acción**
▶ **Simula:** Compra el billete más adecuado	▶ **Soluciona:** Los trámites en el aeropuerto	▶ Desenvuélvete en la taquilla	▶ Haz los preparativos para un viaje
		▶ **Informa:** Visita un monumento de interés	

Simula: Compra el billete más adecuado

Objetivos

- Que puedan desenvolverse en una estación de trenes o de autobuses.
- Que sean capaces de preguntar qué vuelos, qué autobuses, qué trenes hay para su viaje.
- Que sean capaces de elegir y comprar el billete más apropiado para su viaje.
- Que sean capaces de dar consejos y sugerir soluciones.

1 ⎯ Conoce el léxico de los medios de transporte públicos

a. y **b.** Pon el audio para que tus estudiantes resuelvan el ejercicio **a.** A continuación, forma parejas y pide que unan con flechas los términos con las definiciones. Como complemento, puedes pedirles que realicen la actividad 1 del cuaderno de ejercicios.

Soluciones: **a. 1.** Tiene que llegar antes de las 21:00, es un viaje de trabajo, todo lo paga la empresa; **2.** Quiere viajar del 6 al 11, va de vacaciones, no tiene mucho dinero; **3.** Tiene previsto ir el viernes, no tiene mucho dinero, va a un curso que empieza a las 16:30.

b. 1-c; 2-d; 3-b; 4-e; 5-a.

Transcripción del audio:

1. - Hola, Luis, ¿qué tal?

- Bien, bien. No sabía que estabas en Sevilla.

- Sí, he venido a una reunión, pero tengo que volver hoy a Madrid porque tengo que tomar un tren para Bilbao esta noche a las nueve y no sé si ir en tren o en avión.

- Hombre, el AVE funciona muy bien, pero siempre hay vuelos baratos.

- Ya, es verdad. Pero es un viaje de trabajo y mi empresa corre con los gastos. Lo importante es llegar a tiempo, no tanto el dinero.

- Ah, claro.

2. - Buenas tardes.
   - Hola, dígame.
   - Quiero ir a Madrid con mi mujer para pasar unos días de vacaciones que tenemos. ¿Tienen alguna oferta que esté bien de precio?
   - ¿Cuándo quieren viajar?
   - Del 6 al 11 de este mes.
   - Bueno, vamos a ver ofertas de trenes y vuelos Sevilla-Madrid…
   - Es importante que no salga muy caro el viaje, porque luego hay que sumarle el alojamiento, las comidas, etc.
   - Sí, sí, vamos a ver qué encontramos…

3. - Oye, ¿tú vas al curso?
   - ¿Cuál, al de Madrid?
   - Sí.
   - No, me tengo que quedar en Sevilla porque el lunes tengo un examen. ¿Tú vas?
   - Sí, pero quiero ir el mismo viernes para no pagar una noche de hotel. Así que estoy buscando la mejor opción para estar allí antes de las 16:30, que empieza el curso.
   - Mira el tren… hay varios AVE durante el día…
   - Ya, pero a ver si hay algo más barato…

(2) Desenvuélvete y aprende los indefinidos

a., b., c. y **d.** Comienza la actividad preguntando a tus estudiantes si alguna vez han perdido un tren, si alguna vez han conocido a alguien interesante en un avión, etc. Después, pide que unan cada diálogo de **a** con su foto correspondiente y explica en la pizarra la estructura gramatical de los indefinidos. Pide que contesten a las preguntas de **b** y completen el cuadro de **c**. Entonces, pide que cada estudiante escriba tres preguntas con los indefinidos para sus compañeros y las irán haciendo en voz alta, para toda la clase, para que un estudiante que ellos elijan las conteste. Por último, pide que completen el apartado **d**. Como complemento, puedes pedirles que realicen las actividades 2, 3 y 4 del cuaderno de ejercicios.

Soluciones: a. 1-el aeropuerto, la segunda foto; 2-la estación de autobuses, la primera foto; 3-la estación de trenes, la tercera foto.

b. Va a facturar dos maletas y tiene una mochila como equipaje de mano; **2.** Quiere viajar en el primer autobús; 3. No es un problema serio, es que quiere viajar con otro pasajero.

c. alguno, alguna, algunos algunas; ninguno, ninguna, -----, -----; alguien, algo, nadie, nada.

d. 1. ¿Tiene **alguna** preferencia para el asiento?/Sí, prefiero pasillo; **2.** ¿Lleva **algo** que declarar?/No, no llevo **nada**; **3.** ¿Tenéis **algún** plan para el verano?/No hemos pensado en **nada** todavía, pero podemos hacer **algún** viaje juntos; **4.** Perdone, señor, ¿tiene **alguna** bolsa transparente para llevar los botes de gel?/Creo que allí hay **algunas**; **5.** ¿Has encontrado **alguna** oferta de vuelos baratos para el puente?/No, no he encontrado **ninguna** y he buscado en varias páginas web.

(3) Simula: Compra el billete más adecuado

Forma parejas y pide que haya un juego de roles con el material que tienen en este ejercicio. Un estudiante hará el papel de vendedor que está en una taquilla de una estación de tren y otro hará de cliente.

Paso 2 | Soluciona: Los trámites en el aeropuerto

Objetivos

- Que puedan desenvolverse en un aeropuerto.
- Que sean capaces facturar su equipaje, identificarse y subir a su avión.
- Que sean capaces de comprender los avisos que, por megafonía, se pueden oír en un aeropuerto.

1 — Aprende a hablar de las actividades propias del aeropuerto

a., b., c., d. y **e.** Una forma de comenzar es poner a tus estudiantes un vídeo de alguna película o serie de televisión en la que aparezca alguien que llega tarde a un aeropuerto. Aprovecha para comentar las recomendaciones que se suelen hacer para no perder un avión (llegar con dos horas de antelación, preparar la maleta el día de antes, haber comprobado que se tiene en regla la documentación...). Pide a tus estudiantes que comenten en grupos de tres cuál es el proceso que hay que seguir antes de embarcar en un avión. Después, diles que ordenen cada una de las acciones que aparecen en este apartado **a**. Luego, lee en grupo el texto y explica el orden correcto. A continuación, pide que completen el apartado **c** y escribe en la pizarra algunas oraciones que ejemplifiquen el uso de los pronombres. Entonces, indica a tus estudiantes que completen el apartado **d** y corrígelo. Por último, diles que escriban un pequeño texto en el que expliquen por qué creen que es mejor viajar en avión en lugar de elegir otros medios de transporte. Como complemento, puedes pedirles que realicen las actividades 6, 7 y 8 del cuaderno de ejercicios.

Soluciones: a. imprimir el billete electrónico, facturar el equipaje, pasar el control de seguridad, mostrar el pasaporte o DNI, ir a la puerta de embarque, embarcar, escuchar la información de seguridad que da la tripulación del avión, despegar, aterrizar, ir a las cintas a recoger el equipaje.

c. CD: me, te, lo/la, nos, os, los/las; CI: me, te, le > se, nos, os, les > se.

d. 1. El pasaporte... Muy importante, no puedes olvidár**telo** en casa, porque **lo** tiene que enseñar cuanto **te** lo piden; **2.** En las tiendas *duty-free* siempre compro varios productos para reglár**selos** a mis amigos y familia; **3.** De pequeña, quería ser azafata, pero, cuando **las** veo en el aeropuerto, sé por qué, al final, no estudié para eso; **4.** Siempre llevo una pequeña maleta de mano. **La** necesito para guardar todas aquellas cosas que no quiero que vayan en la maleta; **5.** Presta atención a las pantallas del aeropuerto. Debes consultar**las** para saber cuál es tu puerta de embarque y a qué hora sale tu avión; **6.** Si necesitas tomar una aspirina, **se la** puedes pedir a la azafata que **te la** dé; **7.** En el vuelo de la semana pasada perdieron mis maletas. Hoy **me** han llamado y cuando he ido a recoger**las**, **me las** han dado rotas. He puesto una reclamación, claro.

2 — Comprende los avisos que escuchas en el aeropuerto

Pon el audio a tus estudiantes para que puedan identificar qué frase corresponde a cada una de esas situaciones.

Soluciones: 1. Están esperando a un pasajero; **2.** El vuelo sale con retraso; **3.** Ya se puede embarcar; **4.** Se ha cambiado de puerta; **5.** Recomiendan no dejar solas las maletas; **6.** Recuerdan las normas de comportamiento.

Transcripción del audio:
1. Último aviso para el pasajero Sergio Bravo. Preséntese urgentemente en la puerta 18K.
2. Atención, por favor. El vuelo IB151 con destino Bilbao y hora de salida prevista para las 12:10 saldrá a las 12:40 desde la misma puerta de embarque.
3. Los pasajeros del vuelo LT195 con destino Valencia pueden proceder al embarque por la puerta 40G. Tienen preferencia los pasajeros con necesidades especiales.
4. Atención, por favor. El vuelo RYA167 con destino Santander ha cambiado la puerta de embarque a la puerta 46C.
5. Por su seguridad, le recomendamos que no dejen su equipaje desatendido en ningún momento.
6. Estimados señores, les recordamos que no está permitido fumar en este aeropuerto, salvo en las zonas habilitadas para ello.

3 — Soluciona: Los trámites en el aeropuerto

a. Indica a tus estudiantes que deben leer cada texto y poner un título acorde con el mismo. Explica antes las palabras o expresiones que pueden resultarles complicadas.

b. Puedes pedir a tus estudiantes que escriban en unas tarjetas los problemas más comunes con los que se pueden encontrar a la hora de viajar en avión. Añade esas nuevas situaciones a las del ejercicio y pide que las resuelvan en parejas encontrando la mejor solución posible.

Objetivos

- Que sean capaces de entender la información de un folleto publicitario de una agencia de viajes.
- Que puedan comprar de forma fácil y efectiva una entrada para un monumento.

1 — Amplía el vocabulario para hablar de viajes

Comienza este paso contando cómo has preparado tú tu último viaje y si te ocurrió algo gracioso (puedes inventártelo también). Incluso, si dispones de ellas, puedes traer algunas fotografías que acompañen tu narración. Después, pide a tus estudiantes que realicen la actividad.

Soluciones: **1.** Preparativos; **2.** Escala corta; **3.** Exceso de equipaje; **4.** Equipaje de mano; **5.** Viaje organizado; **6.** Excursión.

2 — Organiza la visita a un monumento y transmite la información a otras personas

a. Comienza preguntando a la clase qué factores tienen en cuenta a la hora de hacer una visita turística. Después, haz que tus estudiantes lean la información del folleto y del *e-mail* para que encuentren los errores y los solucionen.

b. y c. Explica las estructuras *decir* + *que* + indicativo y *decir* + *que* + subjuntivo. Haz que completen la explicación y pide que, en parejas, hagan el apartado **c**. Como complemento, puedes pedirles que realicen las actividades 9, 10, 11 y 12 del cuaderno de ejercicios.

Soluciones:
a. No todas las entradas cuestan 13 euros, las nocturnas cuestan 8 euros; La entrada anticipada no es para todo el día, sino solo para la hora indicada; La visita nocturna no es cualquier día sino solo los viernes y los sábados de noviembre a febrero y de martes a sábados (es decir, no hay lunes y domingos) de marzo a octubre.
b. Con indicativo: Dice que se puede visitar durante el día y durante la noche; dice que el precio es de 13 euros; pone que la visita nocturna se puede hacer todos los días. Con subjuntivo: dice que compremos las entradas antes.
c. Dice que le deje una maleta y responde que solo tiene una y que la necesita él. Pregunta que si ha hecho las reservas y responde que ha reservado una habitación. Le dice que necesitan dos habitaciones y le responde que solo hay una libre y le dice que ya compró los billetes. Le responde que entonces él no puede ir.

3 — Desenvuélvete en la taquilla

a., b. y c. Haz que tus estudiantes ordenen la conversación. Luego, pon el audio a tus estudiantes y pide que completen la tabla con la información que falta. Por último, diles que elijan una de las tres situaciones y que la preparen para representarla delante de la clase.

Soluciones:
a. 1-d; 2-c; 3-b; 4-a.
b. **1.** La clase del instituto, catedral de Sevilla, el martes, visita en grupo; **2.** Maite y Joaquín, mezquita de Córdoba, el sábado, entradas gratis; **3.** Salva, Museo Picasso de Málaga, el domingo, individual; **4.** La familia, casa natal de Lorca (Fuentevaqueros), el sábado, visita de grupo.

Transcripción del audio

1. - Mamá, el martes por la mañana voy con mi clase a visitar la catedral de Sevilla.
   - ¿Tienes que pagar algo o comprar las entradas?
   - No, vamos a hacer una visita en grupo organizada por el instituto.

2. - Maite, me ha dicho Joaquín que el sábado vais a ir juntos a la Mezquita de Córdoba.
   - Sí, es que me han regalado dos entradas y vamos a ir. Es que Joaquín nunca ha estado en Córdoba.

3. - Salva, ¿vienes el domingo a cenar con nosotros?
   - No puedo. Es que el domingo por la noche voy a hacer la visita nocturna al Museo Picasso de Málaga. Solo se hace una vez al mes y ya he comprado la entrada.

4. - ¿Tenéis planes para el sábado?
   - Pues sí... vamos a ir toda la familia de excursión al campo y, después, a ver la casa natal de Lorca, en Fuentevaqueros.
   - ¡Qué bien!
   - Sí, es que es el día de la familia: los padres pagan el 50% y los niños entran gratis.

Esta actividad tiene como propósito que cada estudiante escriba y presente su ciudad del mejor modo posible. Tiene que convencer, entusiasmar al resto de estudiantes para que quieran visitarla. Diles que pongan en juego su mejor español así como la gramática y el vocabulario que saben. Pueden utilizar, incluso, una presentación en el proyector con algunas fotografías para que sea más efectista. Si consigues motivar a tus estudiantes convenientemente, esta actividad saldrá realmente bien.

> **Idea 2.0**
> **Recoger información**
>
> Utilizar la página oficial de Turismo España para simular la planificación de un viaje por España, proponiendo que naveguen por sus secciones: ven, conoce, disfruta, saborea, vive...
>
> *http://www.spain.info/es/*

Paso 4 | Repasa y actúa: Prepara un viaje

Objetivos

- Que repasen y practiquen todos los contenidos vistos en el módulo.
- Que sean capaces de integrarlos a fin de realizar con éxito una tarea final: preparar un viaje.

En el paso 4 se propone una revisión de lo aprendido en los tres primeros pasos, así las actividades invitan a recordar y practicar los contenidos ya vistos y se da un paso más en algunos casos, por ejemplo:

1. Donde se practican los indefinidos y los pronombres.

2. Donde se repasa el vocabulario de los monumentos turísticos.

3. Donde se practica el estilo indirecto.

Soluciones: 1. **1.** Estoy buscando una cartera para llevar los documentos y el dinero cuando viajo. ¿Tienen **alguna**?; **2.** Todavía nos quedan **algunas** plazas libre para el tren de las tres y media/¿Y para el de las doce?/No, lo siento. Para el de las doce no queda **ninguna** ya; **3.** Si lleva ordenador portátil o **alguna** cosa metálica, debe ponerlo en la bandeja; **4.** En la tienda *duty-free* hay **algunas** guías de la ciudad. ¿Las miramos y compramos una?; **5.** No quiero tomar **nada** en la cafetería, no me apetece **nada** ahora.

2.a. **1.** ¿**Me** puede enseñar la tarjeta de embarque, por favor?/Sí, claro. Aquí tiene; **2.** Ana, el sábado **te** vi en la estación de tren/Sí, sí... fui a comprar los billetes para Sevilla; **3.** La azafata **nos** ha dicho que podemos ir a la cabina y saludar a los pilotos. ¿Podemos ir, mamá?; **4.** Mis compañeros del curso de español del verano pasado van a venir a visitar**me** el próximo mes; **5.** La abuela **os** quiere comprar algo en la tienda *duty-free*. Id con ella y decidle qué queréis.

b. **1.** ¿Has comprado los billetes para todos?/Sí, **os los** he comprado esta mañana; **2.** Ayer estuve en la agencia de viajes y **les** compré los billetes a Jorge y a Silvia; **3.** ¿Os devolvieron las maletas que se perdieron?/Sí **nos las** devolvieron el viernes pasado; **4.** ¿Visitaste la exposición sobre Goya en Zaragoza?/Sí, **la** vimos y es fantástica; **5.** ¿Dónde están las tarjetas de embarque?/No las tengo, **se las** he dado a papá; **6.** ¿Te gusta esta camiseta? Estoy pensando en comprar**la** y **se la** voy a regalar a Esperanza.

3. El castillo de Belmonte, el teatro romano, la catedral de León, el acueducto romano.

4. **1.** Ramón dice que **está muy cansado porque se ha levantado muy pronto**; **2.** Miguel dice que **ya no viaja nada, pero que antes viajaba mucho por su trabajo**; **3.** Ana dice que **le gustaría conocer el norte de España, que nunca ha ido**; **4.** Mario pregunta que **a qué hora llegamos de Bogotá**; **5.** Ricardo pregunta que **cuándo tenemos las vacaciones este año**; **6.** Irene dice que **irán a Cancún otra vez este año, que el año pasado fueron y les encantó**.

- ¿Qué tal las vacaciones?

- Muy bien, la verdad. Alquilamos un coche y estuvimos viajando por España. De camino a Extremadura, vimos muchos castillos antiguos y, en Mérida, visitamos las ruinas romanas: el anfiteatro, el circo, algunos templos…

- ¿Solo estuvisteis en Extremadura?

- No, también fuimos a Castilla y León y nos encantaron las catedrales góticas de Burgos y León, son unas iglesias impresionantes. Bueno y en Segovia vimos el acueducto romano.

- Sí, yo estuve allí el año pasado y es increíble ver esas obras de ingeniería tan antiguas y tan perfectas, ¿verdad?

- Sí, es cierto…

Acción

La tarea final tiene como objetivo que el estudiante se familiarice con la información que ofrecen las agencias de viajes a la hora de organizar un viaje. Puedes dejarles que lo organicen a su aire o poner cotas de cuánto dinero pueden gastar o de cuántos días disponen para hacer el viaje. Dependerá de la soltura que tengan con el idioma.

Idea 2.0
Organizar un viaje

Propón que entren en agencias de viaje españolas o latinoamericanas para que organicen un viaje con material completamente real. Pide que comparen viajes similares de varios operadores apuntando las ventajas y desventajas de cada una. Si lo ves apropiado propón que hagan una breve presentación del viaje que han elegido. Puedes completar esta actividad animándoles a que escriban un correo a alguna de las oficinas de turismo de una de las ciudades que sean de su interés para que les envíen información personalizada.

http://www.viajeselcorteingles.es - http://www.agencias-de-viajes.com - barceloviajes.com/

Organiza una mudanza

OBJETIVOS GENERALES

- **Que tus estudiantes sean capaces de organizar un cambio de domicilio a un país de habla hispana.**
- **Que puedan explicar los motivos que les mueven a actuar para conseguir unos objetivos concretos.**
- **Que puedan hablar del futuro para establecer planes o acciones.**
- **Que sean capaces de poder alquilar o comprar una vivienda negociando el precio según los servicios y comodidades que tenga la casa.**

El recorrido hacia la meta:

Paso 1	**Paso 2**	**Paso 3**	**Paso 4**
▶ Aprende a expresar causa y finalidad	▶ Aprende a relacionar temporalmente dos acciones	▶ Desenvuélvete al comprar o alquilar un piso	▶ Repasa los contenidos de los pasos 1, 2 y 3
▶ Organiza los pasos que hay que dar para cambiar de país	▶ Conoce el funcionamiento de la sociedad española	▶ Describe las cosas de la casa	**Acción**
▶ **Informa: Motivaciones para cambiar de país**	▶ **Soluciona: Primeros pasos en un país nuevo**	▶ **Simula: Negocia el alquiler de un piso**	▶ Ayuda a un amigo a tomar una decisión importante

Paso previo

Si te parece adecuado, antes de entrar propiamente en materia, proyecta o presenta la imagen de los muebles sin los nombres y pide a tus estudiantes que digan las palabras que sepan o dales los nombres de los muebles en fichas y pídeles que se levanten y las peguen en el lugar correcto. Así reactivarás los conocimientos previos que tengan y, al mismo tiempo, les estarás preparando a entrar en uno de los contenidos léxicos del módulo.

Paso 1 | Informa: Motivaciones para cambiar de país

Objetivos

- Que puedan expresar por qué hacen o piensan algo.
- Que sean capaces de comunicar el objetivo de sus acciones o posturas.
- Que sean capaces de adelantarse y superar las dificultades que supone una mudanza a un país de habla española.

1 ⎯ **Aprende a expresar causa y finalidad**

a., b. y c. Escribe en la pizarra las estructuras de **b** y cuenta, a modo de ejemplo, por qué tomaste alguna o varias de las últimas decisiones importantes de tu vida. Después, escribe tres oraciones causales o finales personales en la pizarra, siendo una de ellas falsa. Esto no quiere decir agramatical, sino que una de ellas nada tendrá que ver contigo. Deberían ser algo raras, originales, o graciosas para captar la atención de tus estudiantes. Ellos tendrán que adivinar cuál es. Si esto funcionó bien, puedes pedir a los estudiantes que escriban ellos otras tres oraciones con una de ellas falsa para que, luego, adivinemos todos cuál es.

Después de haber practicado las estructuras causales y de finalidad pide que realicen el apartado **a**. A continuación, pídeles que en parejas completen los ejemplos en el esquema **b** y, después, pide que realicen **c**. Como complemento, puedes pedirles que realicen las actividades 1 y 2 del cuaderno de ejercicios.

d. Comenta a tus estudiantes qué razones te moverían a ti a cambiar de domicilio para que entiendan qué es lo que se les pide que hagan. Ellos pueden hacerte preguntas para aclarar alguna de las informaciones que les has dado. Ahora, diles que lean las afirmaciones del ejercicio y que expresen su opinión al respecto utilizando las estructuras de los dos cuadritos. Como complemento, puedes pedirles que realicen la actividad 3 del cuaderno de ejercicios.

Soluciones: b. Por: por amor, por el clima; **Porque/Es que:** porque me encanta conocer otras culturas; **Como:** Como mi familia vive fuera; **Para:** para conseguir un trabajo mejor; **Para que:** para que nuestro negocio se expanda, para que mi hijo pueda estudiar lo que quiera.

c. 1. El mes que viene me mudo. **Es que** a mi novia **le han ofrecido** un trabajo en Lima y nos vamos allí **para que pueda** seguir ascendiendo en su empresa; **2.** Ya he alquilado un apartamento **para vivir** allí durante el curso; **3.** Mis padres han ahorrado toda su vida **para que** mi hermano y yo **podamos** ir a la universidad en el extranjero; **4. Como** en mi ciudad no **hay** Arquitectura, me tengo que ir a Sevilla y estudiar allí; **5.** Vamos a volver a Montevideo el próximo curso **por** los niños. Allí están mejor; **6.** Tenemos que viajar este mes **para buscar** una casa antes de ir definitivamente con toda la familia; **7.** La principal razón es la propia ciudad y la situación actual. Nos trasladamos **porque** aquí no **tenemos** trabajo y no vemos posibilidad de encontrarlo; **8.** He llamado **para que** me **envíen** toda la información de los grados de ciencias que tiene la Universidad Nacional Autónoma de México.

 2 ❘ **Organiza los pasos que hay que dar para cambiar de país**

a., b. y **c.** Pregunta a tus estudiantes en qué casos y bajo qué condiciones cambiarían el lugar de residencia a otro país. Luego, diles que, de forma individual, hagan el ejercicio **a** y que comparen los resultados, después, con un compañero. Pon el audio para que tus estudiantes apunten la secuencia que siguen los personajes para hacer el cambio de residencia y que lo comenten con el compañero. Como complemento, puedes pedirles que realicen la actividad 4 del cuaderno de ejercicios.

Soluciones: c. Antes de viajar: 1. Gestionar el visado; **2.** Estudiar el idioma; **3.** Buscar piso; **4.** Comprar los billetes de avión; **5.** Enviar currículum; **6.** Cambiar dinero a la moneda local. **Ya en el país de destino: 1.** Apuntar a los niños al colegio; **2.** Buscar un banco para abrir una cuenta. **No hablan de** enviar los muebles o comprarlos allí.

Transcripción del audio:
- ¡Hola! Oye, que me han dicho que te vas a vivir fuera, ¿ya tienes todo preparado?
- Sí, estos días he estado muy ocupado con los preparativos. Ya tengo gestionado el visado de toda la familia. Es lo primero que hice y lo tengo preparado desde hace tres meses. Espero que todo salga bien. Llevamos dos meses estudiando el idioma para poder adaptarnos rápidamente.
- ¿Y dónde vas a vivir?
- La semana pasada encontré una casa en la costa, creo que está bastante bien, pero hasta que no estemos allí, no estaré tranquilo.
- ¿Y cuándo os vais?
- Pues mira, ayer compré los billetes, nos vamos dentro de quince días.
- ¿Y el trabajo? ¿Cómo lo vas a hacer?
- Ya he estado enviando algunos currículum y tengo una entrevista en una empresa de construcción la semana que llego.
- A ver si hay suerte. ¿Y los niños?
- Hay un colegio muy cerca de la casa, les he escrito pidiendo información y solicitándoles plaza. Tengo una reunión con la directora el viernes de la segunda semana de estancia en el país.
- Tienen mucha suerte, aprenderán el idioma rápidamente.
- Sí, sin duda.
- ¡Qué de cosas! ¿Y qué más preparativos has hecho? Te veo muy bien organizado.
- Pues hoy mismo he cambiado moneda para ir ya con algo de dinero y, nada más llegar, tendré que ir a un banco para abrir una cuenta. Esto quiero hacerlo el mismo día que lleguemos.
- Bueno, pues tendremos que quedar antes de que te vayas, ¿no?
- Sí, claro. Haremos una fiesta el próximo martes, ¿quieres venir?
- Sí, por supuesto...

Informa: Motivaciones para cambiar de país

Di a tus estudiantes que completen el cuestionario. Forma grupos de cuatro estudiantes para que comparen sus respuestas.

Paso 2 | Informa: Primeros pasos en un país nuevo

Objetivos

- Que puedan expresar qué harán en el futuro relacionando dos acciones diferentes.
- Que sean capaces de entender cómo funciona la sociedad española.
- Que sean capaces adelantarse y superar las dificultades que supone vivir en un país nuevo.

1 Aprende a relacionar temporalmente dos acciones

a. El día de antes, pide que lean en casa estos tres textos buscando en el diccionario las palabras que no conozcan para hacer que la actividad sea más sencilla. Ya en clase, di a un estudiante que lea el primer texto y, entre todos, acordad un título. Después, repite el proceso para los otros dos textos.

b. y **c.** Pide que lean y completen la información de los cuadritos. Por último, encárgales que realicen la actividad **c** rellenando los huecos con la forma verbal correcta. Como complemento, puedes pedirles que realicen las actividades 5 y 6 del cuaderno de ejercicios.

Soluciones: b. Hablamos de hábitos: 1. Cuando llegan a un nuevo país, buscan a otras personas de su nacionalidad; **Hablamos del pasado: 2.** Cuando nos instalamos en Buenos Aires, aprendimos a cocinar platos típicos argentinos; **Hablamos del futuro: 1.** Cuando lleguemos a Valencia, tendremos que buscar una escuela para los niños y también buscaré un trabajo.

c. 1. Cuando su familia **decidió** trasladarse a México, empezó a estudiar español; **2.** Cuando voy de viaje, me **gusta** probar la gastronomía del lugar; **3.** Cuando **vuelva** a mi país, buscaré trabajo, ahora solo quiero mejorar el idioma; **4.** Cuando **vayas**, llámame y quedamos; **5.** Ven a visitarme cuando **puedas** o **tengas** tiempo; **6.** Cuando me cambio de ciudad, **prefiero** buscar piso por el centro; **7.** Podemos ir al museo cuando **vengas** la próxima vez.

2 Conoce el funcionamiento de la sociedad española

a. y **b.** Si has estado en España alguna vez o si conoces alguna de las «rarezas» de los españoles es un buen momento para hablar de esto en clase. Si tienes la posibilidad de que tus estudiantes consulten en Internet las afirmaciones del ejercicio para ver si son verdaderas o falsas, es una buena idea aprovecharlo. Si no, forma parejas y diles que conversen para encontrar la solución. Cuando terminen, ponles el audio para que se autocorrijan el ejercicio anterior.

c. Explica en la pizarra las nuevas estructuras para indicar anterioridad y posterioridad. Para ello, puedes poner la secuencia de una película que te guste mucho y para el vídeo antes de su resolución. Pide a tus estudiantes que imaginen un final utilizando la gramática vista en este ejercicio. Finalmente, diles que resuelvan las oraciones que hay a la derecha del cuadro.

Soluciones: b. Son verdaderas: Las cuatro primeras informaciones (de la 1 a la 4); **Son falsas:** las otras cuatro (de la 5 a la 8).

c. 1. En cuanto mi pareja **vuelva** del trabajo, iremos a ver el piso; **2.** Nada más **llegar**, voy a ir a la policía a preguntar qué papeles necesito para buscar trabajo; **3.** Tenemos que ir a la Universidad después de que **comamos** para pedir información de los trámites de convalidación del título; **4.** En cuanto me **envíen** la información que les pido en el correo electrónico, comenzaré los trámites; **5.** Nos informaremos de todos los requisitos antes de **que llevéis** la documentación; **6.** En cuanto **llegue** a casa, me pondré a estudiar; **7.** Creo que haremos la compra después de **que salgan** los niños del colegio.

Transcripción del audio:

1. Cuando llegamos a España, nuestra hija tenía 4 años y nosotros pensábamos que era obligatorio inscribirla en la escuela y la matriculamos en el colegio que estaba cerca de mi trabajo. Luego nos dijeron que no, que aquí es obligatorio a partir de los 6 años y opcional desde los 3. De todos modos, estamos contentos con nuestra decisión porque así se integró mejor.

2. A mí lo que más me gusta de España es su sistema sanitario. En mi país, tienes que tener un seguro de salud, pero aquí no, la sanidad es gratuita. Por ejemplo, cuando empiezas a trabajar en una empresa, automáticamente tienes derecho a la seguridad social. Es genial.

3. Lo más pesado es la burocracia, como en todos los países. Lo primero que hice, cuando llegué a España, fue tramitar mi permiso de residencia, porque es obligatorio cuando se está acá más de 90 días y se quiere trabajar. Después, tuve que empadronarme en Murcia, porque es obligatorio inscribirse en la ciudad donde vivís.

4.- ¿Sabes? A mí me dijeron que si quería alquilar o comprar una casa tenía que tener un contrato, pero es mentira...

- Pues a mí me aseguraron que todos los carnés de conducir del mundo servían en España, pero no es así, depende de tu país de origen... sirven los de la Unión Europea y los de países que tienen acuerdos, pero hay licencias de países que no sirven aquí.

3 ⏱ (**Soluciona: Primeros pasos en un país nuevo**)

Explica la situación en la que está la chica y diles que van a intentar ayudarla. Deben escribir un *e-mail* con sugerencias para ella en el que utilicen toda la gramática vista en este paso.

Paso 3 | Simula: Negocia el alquiler de un piso

Objetivos

- Que sean capaces de poder superar las dificultades que conlleva alquilar un piso.
- Que sean capaces de poder negociar en español el precio y las condiciones.
- Que sepan describir una vivienda explicando con qué servicios y muebles cuenta.

1 ⏱ (**Desenvuélvete al comprar o alquilar un piso**)

Pídeles que lean los textos e identifiquen las imágenes que corresponden a cada uno. Para ello, pídeles que subrayen las características de cada vivienda. En caso de que estés trabajando con *Meta ELE B1*, además, dispones de un audio complementario que les ayudará a identificar mejor las características de cada vivienda. Luego, pídeles que observen el cuadro de las oraciones relativas y que busquen en parejas ejemplos en los textos. Corrígelo en el pleno. Para finalizar este ejercicio, puede ser interesante que practiquen las relativas intentando describir un lugar o una persona famosa utilizando las estructuras de este ejercicio y sin decir quién es, después, la clase tendrá que adivinar de quién o de qué sitio se trata. Como complemento, puedes pedirles que realicen las actividades 7 y 8 del cuaderno de ejercicios.

Soluciones: a. 1-a; 2-d; 3-b; 4-c.

c. 1. No sé cuál es el bloque **donde vive** Román. ¿Tú sabes cuál es?; **2.** Queremos mudarnos a una casa **que sea** más grande que la nuestra y **que tenga** tres dormitorios, dos baños y un salón grande; **3.** Estamos buscando un piso **que esté** cerca de la universidad, por las niñas, pero todos los que vemos son pisos **que están** muy lejos y **que están** muy mal comunicados; **4.** ¿Te acuerdas de la página web **donde encontrasteis** el piso que alquilasteis en Alicante? Es que estamos buscando un apartamento para el verano; **5.** Todavía no he visto ninguna casa **donde** mi marido **quiera** vivir: unas están demasiado lejos, otras son demasiado pequeñas, otras muy caras... Es muy exigente.

2 Describe las cosas de la casa

a., b. y **c.** Si tienes la posibilidad, graba un pequeño vídeo de tu casa y pónselo a tus estudiantes. Mientras lo ven, ve comentando qué muebles hay al tiempo que aprovechas para contar alguna anécdota o curiosidad de cuándo, dónde o porqué lo compraste, etc. Después, diles que completen el ejercicio **a** y haz que realicen los dos últimos apartados para corregirlos en grupo. Como complemento, puedes pedirles que realicen la actividad 9 del cuaderno de ejercicios.

Soluciones: a. La estantería y la alfombra en el salón; el buzón fuera de casa; el horno y el frigorífico en la cocina; la cómoda, el espejo y la mesilla en el dormitorio; el perchero en el pasillo.

b. Es el buzón.

3 Simula: Negocia el alquiler de un piso

Forma parejas para este juego de roles que deberá ser representado ante la clase. Un estudiante tomará el papel del vendedor y el otro el papel del que quiere alquilarlo. Explica cada una de las cuestiones que deben tener en cuenta los actores. Deja 10-15 minutos para que lo preparen y, después, lo representen por grupos.

Idea 2.0
Busca un piso en España

Propón que entren en una agencia inmobiliaria *on-line* y busquen un piso o estudio en el centro de Madrid que no sea muy caro. Puedes limitar la actividad dándoles un presupuesto y estableciendo un precio máximo y tiempo de alquiler.

http://www.segundamano.com

Paso 4 | Repasa y actúa: Ayuda a un amigo a tomar una decisión

Objetivos

- Que repasen y practiquen todos los contenidos vistos en el módulo.
- Que sean capaces de integrarlos a fin de realizar con éxito una tarea final: ayuda a un amigo a tomar una decisión.

En el paso 4 se propone una revisión de lo aprendido en los tres primeros pasos, así las actividades invitan a recordar y practicar los contenidos ya vistos y se da un paso más en algunos casos, por ejemplo:

1. Donde se practican las estructuras gramaticales para expresar causa y finalidad.

2. Donde se repasa el uso de las oraciones temporales.

3. Donde se practica y amplía el vocabulario de la casa.

Soluciones: 1.a. 1. He quedado con Carmen **para** comprar los billetes de avión y **para que** me explique qué documentación tenemos que preparar; **2.** Mi sobrino se fue a vivir a una ciudad con mar **por** su salud; **3.** Van a hacer el viaje en tren **porque** les da mucho miedo el avión; **4.** ¿Por qué no viniste ni llamaste por teléfono?/**Es que** tuve una reunión y salí de la oficina a las doce y cuarto de la noche. Lo siento; **5. Como** está tan nerviosa por el viaje, el cambio de país y todo, no le hemos contado los problemas que tuvimos con el visado. Ya está solucionado, así que evitamos darle el mal rato.

b. 1. Voy a ir a casa de Ángel para que **me ayude** a encontrar un vuelo barato; **2.** No podemos pedir el visado todavía porque **nos faltan** algunos papeles; **3.** Como **se trasladan** a Siena, está estudiando italiano por las tardes; **4.** En realidad, no tiene necesidad de cambiar de país, pero quiere hacerlo **para vivir** una nueva experiencia; **5.** Preferimos que los chicos vayan a estudiar a Estados Unidos para que **aprendan** inglés mejor; **6.** Ella no se va de momento, pero su marido tiene que viajar porque **le han ofrecido** un nuevo puesto de responsable en su empresa y tiene que estar allí al menos dos años.

2. a. 1-d; 2-f; 3-a; 4-e; 5-c; 6-b.

    b. 1. Nada más **saber** la noticia, empezamos a organizarlo todo; **2.** Tenemos que tenerlo todo listo antes de que **vuelvan** de la universidad; **3.** Cuando **conozcan** la nueva casa, se pondrán muy contentos; **4.** Intentaremos estar en el aeropuerto antes de **que empiecen** los atascos de todas las mañanas; **5.** Los llamaré después de que **termine** de comer; **6.** Te recogeré en tu casa en cuanto **me digas**.

3. a. 1. Estoy buscando un perchero que **pueda** poner detrás de la puerta y que **sea** de color marrón para que combine con la habitación de los niños-perchero b; **2.** Necesitamos un frigorífico que no **consuma** mucho, que **tenga** gran capacidad, porque somos seis personas en casa, y que no **cueste** mucho-frigorífico b; **3.** Por favor, ¿puedes encender la lámpara que **está** sobre la mesita?-lámpara b; **4.** Estoy buscando un espejo que no **sea** muy grande y que tenga el borde de madera o de color oscuro- espejo b; **5.** Creo que mis gafas están en el cajón de arriba de la cómoda, que **tiene** cinco cajones, donde guardo los calcetines-cómoda a; **6.** Busco una estantería que **sea** fuerte y grande donde **pueda** poner mi colección de libros antiguos-estantería a.

    b. 1-d; 2-a; 3-e; 4-c; 5-f; 6-b.

Acción

Esta tarea final tiene como objetivo que el estudiante ponga en juego los recursos necesarios para poder ayudar a un amigo a tomar una decisión importante. Lee el texto con tus estudiantes y, después, dales las pautas que deben seguir y están apuntadas debajo del *e-mail*. Ellos deben escribir un *e-mail* respondiendo al que aparece en la página.

Haz trámites y solicita servicios

OBJETIVOS GENERALES

- **Que tus estudiantes sean capaces de aconsejar de forma efectiva a alguien.**
- **Que puedan entender la información relacionada con las compras y actuar en el caso de que no estén contentos con lo que han comprado.**
- **Que puedan mantener una conversación efectiva por teléfono y, llegado el caso, poder dejar un recado, pedir un presupuesto...**
- **Que sean capaces de valorar una compra, una acción, el seguro de un coche.**
- **Que sean capaces de defender sus intereses como consumidores.**

El recorrido hacia la meta:

Paso 1	**Paso 2**	**Paso 3**	**Paso 4**
▶ Aprende a dar consejos	▶ Encuentra al profesional que necesitas	▶ Aprende a opinar y a hacer valoraciones	▶ Repasa los contenidos de los pasos 1, 2 y 3
▶ Familiarízate con los documentos relacionados con las compras	▶ Desenvuélvete al teléfono y aprende a dejar un recado	▶ Contrata el seguro de un coche	**Acción**
▶ **Soluciona: Devuelve un producto en una tienda**	▶ **Simula: Llama a un profesional**	▶ **Informa: Dar un parte a una aseguradora**	▶ Escribe una reclamación

Paso previo

Si te parece adecuado, antes de entrar propiamente en materia, proyecta o presenta las imágenes de los profesionales sin los nombres y pide a tus estudiantes que digan las palabras que sepan o dales los nombres de las profesiones en fichas y pídeles que se levanten y las peguen en el lugar correcto. Así reactivarás los conocimientos previos que tengan y, al mismo tiempo, les estarás preparando a entrar en uno de los contenidos léxicos del módulo.

Paso 1 | Soluciona: Devuelve un producto en una tienda

Objetivos

- Que puedan argumentar por qué algo no les satisface e intentar dar una solución a su problema.
- Que sean capaces de poder dar consejos que resuelvan situaciones complejas.
- Que sean capaces de comprender los diversos documentos que se usan en las transacciones comerciales cotidianas.

① ─(Aprende a dar consejos)

a., b. y **c.** Puedes comenzar el módulo contando a tus estudiantes cómo un amigo tuyo compró algo y resultó que, después de haberlo comprado, no le gustó mucho. Cuenta cómo tu amigo te pedía que lo aconsejaras y cuáles fueron tus consejos y qué pasó al final. Puedes acompañar el relato de algunos detalles graciosos (que no tienen por qué ser ciertos). Mientras vas contando esa vivencia, ve escribiendo en la pizarra cuáles son las estructuras gramaticales que estás utilizando (procura usar las que vienen en el apartado **c** para que vayan familiarizándose con ellas). Después, pide que lean los mensajes del apartado **a** y resuelvan el ejercicio. A continuación, pide que señalen cuáles de los mensajes del ejercicio **b** se corresponden con cada una de las situaciones del apartado **a**. Puedes continuar pidiendo a tus estudiantes que, en parejas, comenten si alguna vez se vieron en alguna tesitura semejante. Como ya han estado practicando las estructuras para dar consejos, pide que completen la explicación y que den un consejo para cada uno de los casos planteados en **c**. Como complemento, puedes pedirles que realicen las actividades 1, 2 y 3 del cuaderno de ejercicios.

Soluciones: a.1. sillón; **2.** mando a distancia; **3.** DVD; **4.** batería (del coche); **5.** exprimidor; **6.** escáner.

b. 1-Te aconsejo que frotes las manchas con soda; 2-Te recomiendo que abras el mando; 3-Te sugerimos que lo desenchufes y lo vuelvas a enchufar; 4-Es recomendable cambiar la batería cada 20 000 kilómetros; 5-Yo te sugiero que pruebes a abrir el exprimidor y que lo limpies con vinagre; 6-Es aconsejable que visites las páginas del fabricante.

② Familiarízate con los documentos relacionados con las compras

No es importante que lean los cuatro documentos (de hecho es difícil hacerlo) sino solo que los reconozcan por el formato. Pídeles que resuelvan el ejercicio uniendo los bocadillos con los documentos. Puedes completar el ejercicio preguntándoles si en alguna ocasión han tenido algún tipo de problemas o anécdota con alguno de estos documentos. Después, pon el audio y di a tus estudiantes que señalen qué tipo de documento es necesario para cada una de las situaciones dadas. Como complemento, puedes pedirles que realicen la actividad 4 del cuaderno de ejercicios.

> **Soluciones: a. 1.** Tique de compra; **2.** Garantía; **3.** Factura; **4.** Manual de instrucciones.
> **b. 1.** El tique de compra; **2.** La garantía; **3.** El manual de instrucciones; **4.** La factura.

Transcripción del audio:

1. - ¡Qué bonita esta camisa!
   - ¿Sí? No me gusta mucho.
   - Vaya, ¿y eso?
   - La voy a devolver. No me gusta mucho el color.
2. - ¡Oh, no! La impresora no funciona.
   - Hijo, pero si la compraste hace solo tres meses.
   - Pues ha dejado de funcionar.
   - Llama al servicio técnico a ver si te la pueden arreglar.

3.- Andrés, ¿qué te pasa?
   - Pues que llevo tres horas intentando montar este mueble.
   - ¿Y eso? ¿Es muy difícil?
   - Sí lo es, sí. Fíjate que me sobran piezas...
4.- Hola, Luis.
   - Buenos días, Manuel.
   - ¿Compraste lo que te encargué?
   - Sí, ayer lo compré todo.
   - De acuerdo, ve al despacho del administrador para que te lo pague.
   - Gracias, te veo ahora.

③ Soluciona: Devuelve un producto en una tienda

Esta actividad es ideal para hacer un juego de roles. Explica cada uno de los términos. Puedes hacer parejas con varios tipos de personas: cliente superexigente, dependiente tacaño, dependiente amable, cliente con ganas de quejarse... Como preparación, puedes pedirles que realicen la actividad 5 del cuaderno de ejercicios. Guía un poco cómo deben encarar la representación, por ejemplo, pide que describan cómo fue la compra, qué les aconsejó el dependiente que les atendió, qué creían que habían comprado y lo que realmente han comprado, por qué lo devuelven, etc... Si tienes la posibilidad, puedes llevar al aula varios artículos que estén defectuosos o pequeños dispositivos electrónicos que no funcionen o estén rotos para que todo sea más realista y divertido.

Paso 2 | Soluciona: Llama a un profesional para concertar una cita

Objetivos

- Que puedan comunicarse por teléfono de forma efectiva y sean capaces de dejar recados entendibles, concretos y exitosos para terceras personas.
- Que sean capaces de poder buscar al profesional que se requiere para cada una de las obras o tareas.

① Encuentra al profesional que necesitas

Haz una pequeña exposición de alguno de los problemas que tienes en tu casa actualmente (evidentemente, pueden ser inventados) o de los que tu pareja quiere que acometas, pero no te atreves (también pueden ser inventados), puedes llevar algunas fotos de los desperfectos de casa (atrancos, desconchones, etc.). Pide a tus estudiantes que te ayuden diciendo qué tipo de profesional necesitas en casa (pueden utilizar el diccionario). Después pide que resuelvan el apartado **a**. A continuación, pon el audio para que digan qué tipo de profesional necesitan las personas que hablan. Explica las estructuras gramaticales del cuadro azul de **c** y pide que pongan algunos ejemplos debajo de las estructuras al tiempo que completan el resto del ejercicio. Como complemento, puedes pedirles que realicen las actividades 6 y 7 del cuaderno de ejercicios.

Soluciones: a. 1-d; 2-h; 3-f; 4-b; 5-c; 6-e; 7-g; 8-a.
     b. 1. Un electricista; **2.** Un albañil; **3.** Un técnico informático.
     c. 1. Se ofrece albañil para todo tipo de obras; **2. Se hace** presupuesto sin compromiso; **3. Se realizan** trabajos a domicilio y no **se cobra** el transporte; **4. Se solucionan** problemas técnicos y **se mejora** la velocidad de su conexión a Internet.

Transcripción del audio:

1. - Isa, huele raro aquí, ¿no?
   - Sí, parece que... parece que huele a quemado...
   - Sí, es como plástico quemado... puede ser este enchufe.
   - Pues eso es peligroso. Voy a cortar la luz y a mirar en las páginas amarillas.

2. - Estamos pensando en hacer obras en el baño.
   - ¿Sí? ¿Qué queréis hacer?
   - Queremos cambiar la bañera por un plato de ducha.
   - Ah, está bien... es mucho más cómodo. Nosotros pusimos el plato de ducha hace dos años y estamos muy contentos.
   - Estamos convencidos, pero ahora necesitamos encontrar a alguien que trabaje bien.

3. - Antonio, ¿a ti te va bien Internet?
   - Sí, sí. No tengo problemas. ¿Por qué?
   - Es que hace unos días que no consigo conectarme y no sé si es el ordenador o algún problema de la compañía de teléfono.
   - Pues a mí, ya te digo, me va bien.
   - Vale, vale... tendré que ver qué pasa.

2 **(Desenvuélvete al teléfono y aprende a dejar un recado)**

Pide que lean los turnos de la conversación entre el cliente y el profesional y los ordenen. Luego, pon el audio para que ellos tomen nota del recado que quiere dejar la persona que llama.

Soluciones: a. 1-f-7-i-3-h-4-e-6-b-8-c-9-g-5-d-2-a.
     b. 1. Fontanero; **2.** Tienda de informática; **3.** Llamar al pintor; **4.** Reproductor DVD listo.

Transcripción del audio:

1. - ¿Sí?
   - Hola. ¿El señor Jaime Murillo?
   - No, no está. ¿Quién le llama?
   - Soy el fontanero.
   - Ah, sí... me dijo que llamaría. ¿Me quiere dejar algún recado?

- Sí, dígale que iré mañana jueves a las cuatro de la tarde.
- Muy bien, no se preocupe.
- Muy amable.
- Adiós.

2. - ¿Dígame?

   - Hola, llamo de la Chip y bits, la tienda de informática.

   - Sí. Ahora mi hermano no está, pero me puede dejar el recado.

   - Sí, mire. Falta una pieza para arreglar su ordenador. Me llega pasado mañana, así que el ordenador estará listo la próxima semana.

   - Vale, yo se lo diré.

   - Gracias.

   - A usted.

3. - ¿Sí?

   - Hola. ¿Está Ana?

   - Ahora no se puede poner.

   - Soy el pintor.

   - Sí. ¿Quiere dejarle algún recado?

   - Bueno, si puede decirle que me llame. Es para elegir los colores.

   - Sí, claro. ¿Ella tiene su número?

   - Creo que sí. De todos modos, es el 646557889.

   - Vale, pues yo le doy el recado.

   - Muchas gracias.

   - De nada. Adiós.

4. - ¿Sí, dígame?

   - Hola, buenos días. Mire, hablo de la tienda de reparaciones.

   - Ah, sí, sí, dígame.

   - Pues que ya está el DVD, pueden venir a recogerlo cuando quieran.

   - ¿Y a qué horas están ustedes allí?

   - Todo el día, de diez de la mañana a ocho de la tarde ininterrumpidamente.

---

3 (**Simula: Llama a un profesional**)

Haz parejas y pide que elijan una de las situaciones que se ofrecen (puedes ampliar con otras que te parezcan más interesantes) y pide que, por parejas, hagan una conversación con la guía de cada uno de los cuadros.

Idea 2.0
Conversación por Internet

Propón a tus estudiantes que realicen simulaciones de conversaciones vía Skype o vía Google Talk. Si tienes la oportunidad de poner a tus estudiantes en contacto con estudiantes españoles por videoconferencia, es algo que debería ser aprovechado. Si no, plantea la actividad como una práctica de una conversación telefónica en la que tus estudiantes no se verán las caras, ni sus gestos, lo que dificultará la comprensión del mensaje.

skype.com

Paso 3 | Informa: Da un parte a una aseguradora

Objetivos

- Que sean capaces de opinar sobre diversas ofertas y opciones así como poder valorarlas.
- Que puedan contratar el seguro de un coche en un país de habla hispana.
- Que sepan salir del problema que supone tener un choque de tráfico o un accidente leve y puedan dar parte a la compañía aseguradora.

1 (**Aprende a opinar y a hacer valoraciones**)

Explica en la pizarra las diferentes estructuras gramaticales que están en los cuadros azules con ejemplos sacados de tu experiencia vital o de tu realidad cotidiana. Procura que sean interesantes y que les llamen la atención. Después, pide que lean el chat y completen la explicación de los cuadritos. Asegúrate que han entendido el chat y pide que resuelvan el apartado **b** para, posteriormente, pasar a completar el **c**. Como complemento, puedes pedirles que realicen las actividades 8, 9, 10 y 11 del cuaderno de ejercicios.

Soluciones: a. *Creo que* + indicativo; *No creo que* + subjuntivo; *es* + adjetivo + *que* + subjuntivo.

b. Son todas falsas, excepto la 2.

c. 1. Es imprescindible que **encontremos** un buen seguro para el coche; **2.** No creo que **quieran** cambiar de aseguradora, porque llevan 12 años con ellos; **3.** Me parece que **es** una buena oferta, ¿no crees?; **4.** Es muy bueno **tener** amigos y conocidos en bancos, te pueden ayudar mucho; **5.** No es recomendable que **contratemos** el primer seguro que nos ofrecen, es mejor **comparar** varias opciones; **6.** Es necesario que el seguro **cubra** los daños a terceros; **7.** No pensamos que **encuentren** un seguro mejor que el que tienen ahora; **8.** Pienso que es complicado que la gente **elija** una compañía de seguros por Internet.

2 — Contrata el seguro de un coche

Cuenta qué factores tuviste en cuenta tú para contratar tu seguro de coche. Tus estudiantes te pueden hacer preguntas sobre ello. Después, pon el audio y pide que completen la información que falta. Puedes hacer grupos de tres estudiantes para que debatan sobre cuál de los tres seguros elegirían valorando cada uno de ellos y dando su opinión positiva o contraria sobre los mismos.

Soluciones: a. Pedro García Olmo; 45 años; 20 años con carné; Un coche nuevo; 140 caballos de potencia; A todo riesgo cuenta 2 000 € al año; Con franquicia hasta los 200 primeros euros cuesta 1 400; A terceros cuesta 700 euros al año y solo cubre hasta 10 000 euros.

Transcripción del audio:

- Mutua, buenos días.
- Buenos días, quería informarme de los precios para un seguro de coche.
- Claro, dígame su nombre por favor.
- Pedro García Olmo.
- De acuerdo, Pedro. ¿Qué edad tiene usted?
- 45 años
- ¿Cuántos años de carné?
- 20.
- ¿Qué coche quiere asegurar?
- Un Seat León, nuevo.
- ¿Qué potencia tiene?
- 140 caballos.
- De acuerdo, tenemos tres posibilidades, le cuento.
- Sí.

- A todo riesgo, el coche está totalmente asegurado. Cuesta 2 000 euros al año, durante los dos primeros años.
- Sí.
- A todo riesgo con franquicia, el coche está totalmente asegurado, pero en caso de choque o desperfectos, usted paga los primeros 200 euros. Este seguro cuesta 1 400 euros.
- Uhmmm.
- A terceros, el seguro solo le cubre los gastos de accidentes o daños que usted haga a otros vehículos o personas hasta 10 000 euros. Este seguro cuesta: 700 euros al año.
- De acuerdo, pero también quería…

3 — Informa: Dar un parte a una aseguradora

Explica a tus estudiantes cómo ha sido el accidente para que puedan completar el parte de la aseguradora.

Paso 4 | Repasa y actúa: Escribe una reclamación

Objetivos

- Que repasen y practiquen todos los contenidos vistos en el módulo.
- Que sean capaces de integrarlos a fin de realizar con éxito una tarea final: Escribe una carta de reclamación.

En el paso 4 se propone una revisión de lo aprendido en los tres primeros pasos, así las actividades invitan a recordar y practicar los contenidos ya vistos y se da un paso más en algunos casos, por ejemplo:

1. Donde se practican las estructuras gramaticales para expresar influencia.

2. Donde se repasa el uso de las estructuras de valoración y opinión.

3. Donde se practica y amplía el vocabulario de la casa.

Soluciones: 1. a. 1. escáner; **2.** DVD; **3.** sillón; **4.** tostadora; **5.** mando a distancia; **6.** lámpara.

       b. 1. Quiero cambiar esta cafetera, pero no encuentro **el tique de compra**; **2.** Me han regalado esta impresora y ahora voy a la tienda para que me sellen **la garantía**; **3.** Tengo que presentar **la factura** a mi jefe para que me pague lo que he comprado; **4.** ¿Has recibido **el presupuesto** del diseñador de la página web?; **5.** No encuentro **el manual de instrucciones** y no consigo configurar la tele nueva.

      3. 1. El fontanero, que no puede ir el martes, que le llame; **2.** Alberto Pérez, que van a ir a hacer la instalación del gas el martes, que le llame si no le va bien; **3.** Ángel, que le mandes un SMS con el número de teléfono de Marta.

      4. 1. Creo que esta oferta **es** la mejor, ¿no?; **2.** No sé, no creo que **llueva** mañana. Podemos llamar a Juan para ir al campo; **3.** Me parece que **han llamado** esta mañana a Luis. ¿Le preguntamos qué le han dicho?; **4.** Opino que **tenemos** que cambiar toda la cerradura, no se puede arreglar; **5.** El fontanero me dijo que venía a las seis, pero ya no creo que **venga**. Lo llamaré mañana; **6.** No esperamos que Juanjo y Ana **puedan** acompañarnos porque están de mudanza este fin de semana; **7.** Supongo que **invitarás** a Isa y Macarena a la fiesta, ¿no? Pero no me parece que **sea** una buen idea; **8.** ¿Qué hacen aquí tan temprano? Me imagino que **se han equivocado**, voy a hablar con ellos.

Transcripción del audio:

1.- Dígame.

  - Hola, ¿está Marcos?

  - No, ha salido. ¿De parte de quién?

  - Soy Jesús, el fontanero. ¿Le puede decir que no voy a poder ir el martes, como habíamos quedado?

  - Vale, lo se lo digo.

  - Y que me llame, por favor, para quedar otro día, ¿de acuerdo?

  - Muy bien, no se preocupe.

  - Gracias.

  - Adiós.

2.- ¿Sí?

  - Buenos días, ¿podría hablar con el señor González?

  - En estos momentos está reunido. Si quiere, puedo dejarle un recado.

  - Sí, gracias. Dígale, por favor, que ha llamado Alberto Pérez para decirle que vamos a ir a realizar la instalación de gas en el chalé el martes a las nueve y media. Si no le viene bien el día, que me llame, por favor.

  - De acuerdo. ¿El señor González tiene su teléfono?

  - Sí, sí.

  - Muy bien. Muchas gracias.

  - A usted, buenos días.

3.- Ha llamado al nueve, tres, ocho, seis, cuatro, cuatro, cero, seis, cuatro. En estos momentos no puedo atenderle. Si lo desea, deje un mensaje después de oír la señal.

  - Hola, soy Ángel. Tengo que hablar con Marta, pero no tengo su número de teléfono. ¿Me puedes llamar o mandarme un sms con su número? Gracias.

Acción

Esta tarea final tiene como objetivo que el estudiante pueda familiarizarse con los documentos relacionados con las reclamaciones ante la Oficina del Consumidor para ser capaz de ejercer sus derechos en el caso de que deba defenderlos.